QUÉBEC

D0774641

© 1990 M.A. Editions, 8, rue Garancière, 75006 Paris

Conception graphique : Alain Joly
Mise en page : C. et J.-B. Duméril

Tous droits en langue française réservés pour tous pays.

ISBN 2-86-676-549-4

R. Giudicelli

QUÉBEC

SOMMAIRE

L'auteur tient à remercier pour leur collaboration : Louise Langlois, Arlette Moreau et Ginette Morel.

Le Québec vous invite

TRAVERSER l'Atlantique, se retrouver en Amérique du Nord et avoir l'impression de ne pas se sentir complètement perdu : c'est le Québec.

Quelle que soit la période à laquelle vous prendrez vos vacances, vous apprécierez au Québec les habitants particulièrement accueillants mais aussi les immenses étendues. Recouvertes de neige, elles se parcourent à ski de fond, en traîneau ou en motoneige ; vous vous risquerez en patin sur ces innombrables lacs gelés ou sur les bords du Saint-Laurent. En été, vous goûterez la nature par des randonnées pédestres, la pêche ou la chasse. L'automne vous subjuguera par le changement de couleur des érables.

Le Québec est immense et la quasi-totalité de la population vit le long du Saint-Laurent ou au sud de ce dernier. Dans ce guide, nous avons pris le parti de vous présenter les régions touristiques qui, à un titre ou à un autre, permettent de saisir et surtout de mieux connaître les principales facettes du pays. Nous vous emmenons à Québec, la vieille capitale, ainsi qu'à Montréal, la métropole qui

Fiche d'identité du Québec

Statut

• Le Québec est membre, avec 9 autres provinces et 2 territoires fédéraux, de l'État fédéral du Canada. Il ne constitue pas pour l'instant, un État indépendant.

• Comme les autres provinces, le Québec a son parlement ; il adopte des lois dans les domaines relevant de sa juridiction. Mais le Parlement canadien reste une institution supérieure dont la juridiction s'étend à l'ensemble du pays.

• Le gouvernement fédéral a la haute main sur : les affaires extérieures, la défense, la monnaie, les transports, les voies d'eau, la pêche, les postes, l'assurance chômage.

• Au Québec, le gouvernement du Québec a compétence pour gérer : l'immigration, les impôts provinciaux, l'agriculture, les institutions municipales, l'assurance maladie.

Représentation nationale

• L'Assemblée nationale du Québec est constituée de 125 députés élus pour 5 ans au suffrage universel. Le scrutin est uninominal, majoritaire à un tour. Le chef du parti ayant fait élire le plus de députés devient Premier ministre.

• Les principaux partis dans la vie politique québécoise : le parti Québécois (indépendantiste et social-démocrate), le parti Libéral (nationaliste et social-démocrate).

Territoire

1 667 926 km², comprenant 16 régions administratives.

Population

• 6 532 465 habitants.

• 75 % de la population vit dans les villes.

• Composition selon les principales origines ethniques : Français : 5 105 665 ; Britanniques : 319 550 ; Italiens : 163 880 ; Grecs : 47 450 ; Haïtiens : 36 785 ; Portugais : 29 700 ; Allemands : 26 780.

• Composition selon la langue maternelle : Français : 81,3 % ; Anglais : 8,8 % ; autres langues : 6 % ; langues multiples : 4,5 %.

Espérance de vie

Hommes : 72 ans. Femmes : 79 ans.

Principales villes
Montréal : 1 015 420 habitants ; Laval : 284 164 ; Québec : 164 580 ;
Longueil : 125 441.
Principaux produits exportés
Papier d'imprimerie, aluminium et alliages, automobiles, moteur
d'avion, tubes électroniques et semi-conducteurs, bois d'œuvre, pâtes
de bois, électricité, équipement et pièces d'avion, cuivre et alliages.
Principaux produits importés
Automobiles, pétrole, tubes électroniques et semi-conducteurs, camions
et tracteurs, moteurs d'avion, matériel de bureau, équipement et pièces
d'avion, minerais, mazout, équipement audiovisuel.
Principaux partenaires commerciaux
États-Unis, province de l'Ontario, pays de la C.E.E. et pays asiatiques.

draine la moitié de la population. Vous remonterez l'histoire du pays
en parcourant la vallée du Richelieu qui fut une voie d'invasion
empruntée par les Iroquois, les Français, les Anglais et les Américains.
Avec Charlevoix et la côte de Beaupré, c'est l'une des régions les
plus touristiques que vous parcourrez. Le long du Saguenay et autour
du lac Saint-Jean, vous suivrez les traces des trappeurs et des
Montagnais, puis celles des colons qui défrichèrent cette terre il y a
150 ans. Vous découvrirez en Gaspésie la façade maritime du Québec ;
c'est dans cette région isolée que Jacques Cartier allait fouler pour la
première fois le sol de ce que nous appelons aujourd'hui le Québec.

Brève incursion dans l'histoire

La Nouvelle-France

1534 : Jacques Cartier débarque à Gaspé et prend possession du
territoire au nom de François Ier.

1599 : la France installe à Tadoussac son premier comptoir de
commerce permanent.

1608 : Samuel de Champlain fonde une colonie à Québec.

1642 : Paul de Chomedey de Maisonneuve fonde Ville-Marie qui deviendra Montréal.

1648-1649 : guerres indiennes entre les Hurons et les Iroquois.

1663 : la Nouvelle-France devient une colonie royale sous Louis XIV.

1665-1667 : pacification des Iroquois.

1689-1697 : guerre intercoloniale entre Français et Anglais (en Europe, c'est la guerre de la ligue d'Augsbourg qui se conclut par le traité de Ryswick).

1701 : traité de paix de Montréal entre Français et Iroquois.

1701-1713 : guerre intercoloniale (en Europe : guerre de la succession d'Espagne. Par le traité d'Utrecht en 1713, la France cède à l'Angleterre l'Acadie, la baie d'Hudson et Terre-Neuve).

1740-1748 : guerre intercoloniale (en Europe : guerre de succession d'Autriche et traité d'Aix-la-Chapelle).

1755 : les Anglais commencent la déportation des Acadiens.

1756-1760 : 4e guerre intercoloniale ; en Europe, la France est engagée dans la guerre de Sept Ans.

1759 : les Anglais prennent Québec.

1760 : Montréal tombe aux mains des Anglais.

La colonisation anglaise

1763 : par le traité de Paris du 10 février, la France cède le Canada et ses dépendances à l'Angleterre.

1774 : l'Angleterre promulgue l'Acte de Québec. Les Anglais reconnaissent les lois françaises pour le droit civil et foncier ; les Canadiens français ont le droit de pratiquer la religion catholique.

1776-1778 : guerre d'indépendance des États-Unis. L'armée américaine prend Montréal mais échoue devant Québec.

1783 : le traité de Versailles reconnaît l'indépendance des États-Unis. Des milliers de loyalistes à l'Angleterre s'installent au Canada.

1791 : par l'Acte constitutionnel, l'Angleterre divise le Canada en deux colonies, chacune ayant une Chambre d'assemblée élue. Le Haut-Canada a une majorité anglaise et protestante, le Bas-Canada une majorité française et catholique. Les capitales respectives sont York (Toronto) et Québec.

1812-1814 : guerre entre l'Angleterre et les États-Unis ; les Américains attaquent le Haut-Canada.

1837-1838 : dans le Bas-Canada, soulèvement des « Patriotes » réprimé par l'armée anglaise.

1840 : par l'Acte d'union, l'Angleterre réunit les provinces du Haut et Bas-Canada sous un seul gouvernement du Canada. Les Canadiens français, majoritaires dans le Bas-Canada, deviennent une minorité au Canada. La langue anglaise est la seule langue officielle.

1847 : immigration des Irlandais chassés de leur pays par la famine.

1852 : fondation de l'université Laval à Québec.

La confédération canadienne

1867 : par l'Acte d'Amérique du Nord britannique, l'Angleterre donne naissance, le 1er juillet, à la Confédération canadienne. Elle regroupe : l'Ontario, le Québec, la Nouvelle-Écosse et le Nouveau-Brunswick.

1897-1936 : le parti libéral dirige le Québec.

1907 : création du premier syndicat ouvrier d'obédience catholique.

1936-1959 : la province est dirigée par Maurice Duplessis ; c'est la période de « la grande noirceur » pour le Québec ; elle est marquée par un nationalisme étroit et l'omniprésence de l'Église.

1960 : début de la « Révolution Tranquille » ; le Québec commence à se réveiller et à s'ouvrir sur le monde.

1967 : exposition universelle de Montréal. Visite du général de Gaulle qui conclut un de ses discours par « Vive le Québec libre ».

1968 : fondation du parti québécois, parti prônant l'indépendance du Québec.

1971 : lancement du projet hydro-électrique de la baie James.

1974 : le gouvernement libéral instaure le français comme langue officielle du Québec.

1976-1984 : le parti québécois est porté au pouvoir par les élections ; il en oublie de conduire la province à l'indépendance !

1985 : retour du parti libéral au gouvernement.

L'histoire du Québec

C'est d'abord celle d'une conquête — sur la nature — animée par des défricheurs luttant pour leur survie. C'est aussi une histoire qui met en jeu des relations complexes entre minorité et majorité ; une histoire où le passionnel prend souvent le pas sur la politique ; enfin l'histoire d'une éternelle attente d'un passage à l'acte.

La Nouvelle-France

La présence française s'affirme véritablement par un processus de colonisation des terres avec la création, en 1627, de la Compagnie des Cent-Associés chargée d'assurer le développement de la colonie. Le Québec, dans les limites géographiques que nous lui connaissons, fait partie à l'époque de la Nouvelle-France qui s'étend jusqu'aux Rocheuses à l'ouest, au golfe du Mexique au sud.

La France instaure un système seigneurial ; des concessions sont accordées au seigneur qui s'engage à faire venir des colons. Les terres distribuées sont découpées en bandes allongées et perpendiculaires aux voies de communications de l'époque : les rivières et le fleuve Saint-Laurent. Comme le souligne la chronologie, la Nouvelle-France est le théâtre d'affrontements entre armée française, anglaise et les tribus amérindiennes alliées à chaque camp. Au XVIIIe siècle, la colonie se rétrécit comme une peau de chagrin après chaque signature de traité concluant une guerre européenne.

La colonisation anglaise

Pour les Canadiens français, le poids de la colonisation anglaise ne se fait sentir qu'une vingtaine d'années après. Si l'Angleterre leur reconnaît le droit de pratiquer la religion catholique et de se référer au droit civil français, elle favorise, pendant la guerre d'indépendance des États-Unis, l'installation des loyalistes. Ces derniers défrichent et occupent de nouvelles régions du pays ; ils veulent surtout des lois civiles anglaises.

En 1791, l'Angleterre divise le Canada en deux provinces distinctes : le Haut-Canada (l'actuel Ontario) à majorité protestante et anglaise, le Bas-Canada (l'actuel Québec) à majorité catholique et française. Chacune a son assemblée d'élus mais elles n'en restent pas moins des colonies dont le pouvoir est à Londres.

Au XIXᵉ siècle, le Bas-Canada s'urbanise peu à peu tandis que commence l'exode rural. Les villes comme Québec et Montréal s'anglicisent et les colons anglais affichent leur pouvoir entraînant la révolte anticoloniale des « Patriotes » qui éclate en 1837. Pour toute réponse, l'Angleterre réunit, en 1840, les provinces du Haut et du Bas-Canada sous le seul gouvernement du Canada-Uni. Les Canadiens français deviennent une minorité dans cette nouvelle donne politique. Pendant la première moitié du XIXᵉ siècle, le Bas-Canada voit décliner le commerce des fourrures, s'affirmer l'importance de l'agriculture et naître l'industrie. Un grand nombre d'Irlandais s'installent vers les années 50.

La Confédération canadienne

Fini le Bas-Canada ; fini le Canada-Uni ; le Québec devient une province membre d'une nouvelle entité coloniale montée de toutes pièces par l'Angleterre. Jusqu'à la fin du XIXᵉ s., le Québec connaît une période de misère : la pression démographique dans les zones agricoles est telle que la moitié de la population de l'époque émigre aux États-Unis. Pour freiner cette hémorragie, des curés défricheurs lancent une nouvelle campagne de conquête de la forêt. Pendant la première moitié du XXᵉ s., le Québec est marqué par une forte urbanisation. La population est particulièrement bien encadrée par le clergé ; elle n'en continue pas moins à manifester son opposition à la puissance colonisatrice, en particulier quand il s'agit de lui servir de chair à canon pendant les deux guerres mondiales.

Les années 60 : c'est la période charnière pour les Québécois. Avant ? le vide, la grande noirceur ! Ces années marquent l'entrée du Québec dans le monde « moderne », une renaissance en quelque sorte. Le carcan religieux vole en éclats et le Québec fait sa « Révolution Tranquille ». La bourgeoisie francophone se sert du thème de l'indépendance pour disputer la part du gâteau et de pouvoir aux anglophones. Les francophones se redécouvrent majoritaires, en quelque sorte.

Richesse et dépendance

Jusqu'aux années 1830, la fourrure contribue à faire la richesse de ce pays rural. A partir de la seconde moitié du XIXe siècle, le Québec connaît une industrialisation rapide qui amène la population à quitter les campagnes. Cet exode rural entraîne l'urbanisation très poussée que l'on observe aujourd'hui : 75 % de la population vivent en ville.

Depuis la fin de la Seconde Guerre mondiale, l'activité économique s'oriente vers les services et les industries de transformation. A présent, le secteur primaire regroupe 4 % des emplois, le secteur secondaire 25 %, le secteur tertiaire — services, commerce, administration publique, finances, transports et communications — occupe plus de deux millions de personnes soit plus de 71 % des emplois au Québec.

La répartition des activités économiques laisse apparaître de profondes disparités régionales. Montréal jouit, en effet, d'un pouvoir d'attraction économique sans égal. La région montréalaise rassemble à elle seule près de 60 % de la main-d'œuvre et de l'activité économique de la province. La quasi-totalité des emplois du secteur tertiaire est concentrée à Montréal et Québec.

La base de l'activité économique du Québec repose sur l'exploitation des matières premières.

D'abord, l'immense forêt alimente les industries de pâte à papier. Le papier d'imprimerie est le premier produit d'exportation du pays. L'industrie du bois, quant à elle, a connu un essor considérable, sa production ayant triplé en 20 ans.

L'exploitation des réserves minières dont l'inventaire est impressionnant, permet au Québec d'être un important exportateur du cuivre, de fer, d'amiante, d'or, de zinc et d'argent. La province est, au Canada, la première productrice de sable, de granit, la seconde pour des matériaux de construction comme la pierre, le ciment, la chaux et l'argile. Pas de pétrole, pas d'énergie nucléaire, mais le potentiel hydro-électrique exploité par la société nationale Hydro-Québec est immense. La province exporte de l'électricité aux États-Unis, à l'État de New York en particulier. Le faible coût de cette énergie a induit le développement d'industries de première transformation de l'aluminium. De même, l'expertise acquise dans la construction des barrages a propulsé des entreprises québécoises de génie civil aux premiers rangs dans le monde.

Dans l'agriculture, le Québec connaît depuis 20 ans une diminution du territoire agricole et un accroissement de la superficie des exploitations. Cette restructuration a donné un coup de fouet à ce secteur, entraînant à long terme la province vers l'autosuffisance et l'augmentation de ses exportations. Le Québec est devenu un important fournisseur de viandes, de produits laitiers, d'animaux de ferme et de produits de la pêche.

Dans l'industrie, des secteurs ont pris de l'importance comme ceux du matériel de transport terrestre, de l'aérospatiale, des produits électriques et électroniques. La société Bombardier, par exemple, a confirmé une solide réputation dans le domaine du matériel de transport ferroviaire.

De nombreuses multinationales se sont établies au Québec : des entreprises automobiles comme General Motors et Hyundaï, électroniques comme IBM.

Après ce très rapide tour d'horizon des principales activités productives du Québec, penchons-nous sur son commerce extérieur. Les exportations, qui représentent 40 % du produit intérieur brut, sont constituées par une large part de matières premières et de produits semi-finis. Les États-Unis — principal partenaire commercial — absorbent 75 % des exportations québécoises ; ainsi plus de 80 % de la production de pâte à papier, de papier journal, du bois d'œuvre, de l'aluminium et du cuivre prennent le chemin des États-Unis. Ces chiffres sont éloquents sur la dépendance commerciale du Québec par rapport à son voisin du sud ; ils sont aussi le reflet d'une autre dépendance structurelle : celle des investissements productifs. Certains secteurs de l'industrie québécoise sont entre les mains de multinationales américaines ; ainsi 42 % des produits finis exportés sont fabriqués par des entreprises américaines.

Les Canadiens et les Québécois ont signé un accord de libre échange avec leur voisin du sud, ce qui officialise leur intégration de fait dans l'économie américaine. Cette dépendance du Québec par rapport aux intérêts américains ne doit pas faire oublier que le Québec est une province canadienne. Son développement et son avenir économique ne se décident pas uniquement à Québec, mais à Ottawa ; les décisions qui y sont prises, par exemple en matière d'investissements fédéraux dans la province, ne tiennent évidemment pas compte du seul intérêt du Québec.

La langue

Quelle langue parle-t-on au Québec : le français ! Quelle langue devrez-vous parler au Québec : le français ! Le Québec c'est 5 millions de francophones entourés de plus de 250 millions d'anglophones d'Amérique du Nord. Bien sûr, vous y entendrez l'anglais : celui de la minorité anglophone qui sait se faire entendre — et écouter — des responsables politiques et économiques, celui des chaînes de télévision et de radio américaines et canadiennes.

Le touriste qui débarque au Québec ne doit pas oublier que si, pour lui, l'anglais est une langue étrangère dont l'exotisme peut inciter à la pratique, c'est ici une langue terriblement familière et menaçante : celle du colon anglais, celle du maître qui, pendant presque deux siècles, contrôla le pays ; l'anglais, ne l'oublions pas, est aussi une des deux langues officielles du Canada.

On l'aura compris : la question linguistique reflète celle de la survie de la communauté francophone pourtant majoritaire au Québec. La défense du français s'y pose avec une réelle acuité que nous apprécions mal en France, sur cette banquise francophone qui dérive lentement vers l'anglais pour reprendre une image de la France que l'on pourra vous renvoyer amicalement au Québec.

Le français parlé par la majorité des Québécois n'est pas tout à fait celui que l'on entend en France, mais la syntaxe et le vocabulaire sont similaires, seules les expressions courantes peuvent varier ainsi que les anglicismes utilisés. Et puis, il y a l'accent québécois... surprenant et savoureux !

Pour ne pas rater le meilleur d'une conversation entre Québécois, voir p. 119 un petit lexique de mots utilisés dont le sens ne nous est pas familier, pour ne pas dire inconnu.

La gastronomie

De par sa situation géographique, le Québec présente un style d'alimentation nord-américain. Le petit déjeuner est copieux ; le dîner

est servi de bonne heure, entre 18 h et 18 h 30. Chaque ville compte, bien entendu, quelques établissements appartenant à des chaînes de restauration rapide servant des hamburgers ou du poulet frit. Phénomènes urbains d'Amérique du Nord, ces « fast food » deviennent parfois un lieu de rencontre pour les plus démunis.

Mais il faut le souligner : le Québec est le pays d'Amérique du Nord où l'on mange le mieux. La dernière décennie a vu l'éclosion d'une multitude de restaurants et petits cafés aux décors simples mais soignés aux noms sympathiques − « La Petite Ardoise », « Les Gâteries », « Les Entretiens », « l'Anecdote » −, servant une cuisine très correcte ainsi que de véritables cafés expresso.

Le Québec compte aussi, à travers le pays, une bonne centaine de restaurants et d'auberges qui proposent une excellente cuisine française haut de gamme.

Plus particulièrement à Montréal, la ville du Québec la plus ouverte sur le monde de par la diversité des communautés qui y vivent, c'est un plaisir de découvrir les nombreux restaurants ethniques servant une cuisine typique et authentique : cuisine vietnamienne, chinoise, indienne, italienne, libanaise, sud-américaine, etc. Quelques restaurants ont également su établir leur renommée autour d'une spécialité

gastronomique comme le « smoked meat », le « poulet barbecue », ou tout bonnement le steak et les fruits de mer.

A midi, les restaurants de quartier offrent la formule du « spécial du jour » qui consiste en un repas complet incluant une soupe, un plat du jour, un dessert et un café généralement très allongé. Variant de 4 à 8 dollars suivant le plat principal, le prix de ces repas est relativement modique, mais il faut rappeler que le chèque-restaurant est inconnu au Québec.

Dans n'importe quel restaurant, à midi ou le soir, vous apprécierez la qualité du service : vous serez placé à une table et aurez le temps de choisir ; on vous apportera tout de suite un verre d'eau et l'on sera toujours poli avec vous.

Le vin au Québec ! Les restaurants n'en offrent pas tous. Ceux qui ont le droit de vendre des boissons alcoolisées disposent, sauf dans les très grands établissements, d'une carte des vins assez limitée. Boire du vin au restaurant reste coûteux : le prix d'une bouteille équivaut souvent à celui d'un repas. Dans les autres restaurants, on apporte sa bouteille achetée dans les magasins de la S.A.Q. — la Société des Alcools du Québec ; la vente des alcools demeure un monopole provincial et les vins français sont particulièrement taxés.

Mais qu'en est-il de la cuisine québécoise ? Elle existe : riche et consistante, on l'apprécie plus particulièrement en hiver et pendant les fêtes. La part des épices y est peu importante et l'emploi du vin pour les sauces quasi inconnu.

Conçue pour de rudes travaux et un climat rigoureux, la cuisine québécoise est familiale, faite pour nourrir une famille nombreuse où rien ne devait se perdre ; une soupe inaugure toujours le repas. Prenant ses lointaines racines dans des recettes de l'ouest de la France, la gastronomie québécoise a su s'adapter et développer des spécialités régionales.

En voici quelques-unes, qu'il vous sera peut-être offert de déguster au cours de votre périple au Québec.

Les soupes

- La *soupe aux pois* : elle est servie très couramment au Québec.
- La *soupe à la gourgane* : soupe de grosses fèves très appréciée dans la région du lac Saint-Jean.
- La *gibelotte* : soupe de poisson avec des légumes, spécialité de la région de Sorel.

Les plats

- Les *fèves au lard*, plat très familier.
- Le *pâté chinois* : sorte de hachis parmentier.
- La *tourtière* : tarte à la viande et au gibier ; la plus connue est la tourtière du lac Saint-Jean.
- La *cipaille, cipâte, six pailles* : autant de noms pour désigner un plat consistant en plusieurs couches de viandes différentes.
- La *cambuse* : potée de morue avec du lard salé et des pommes de terre, servie en Gaspésie.

Les desserts

- La *tarte au sucre* : traditionnelle.
- La *tarte à la ferlouche* : tarte au sucre et aux raisins secs.
- La *tarte au sirop d'érable*.
- La *tarte aux bleuets* : le bleuet est une sorte de myrtille que l'on trouva et cultiva pour la première fois à l'ouest du lac Saint-Jean.

La boisson

• La *bière d'épinette* : production locale avant l'arrivée du coca. C'est un soda à base de mélasse, gingembre et essence d'épinette.

Recettes

Ces trois recettes vous permettront de composer un vrai repas de fête, histoire de retrouver, à votre retour, un certain goût du Québec.

Soupe à la gourgane

Faire revenir 200 g de lard salé coupé en dés, y ajouter 1 oignon haché et 2 carottes coupées en dés fins. Mouiller avec 1,5 l de bouillon de bœuf ou de volaille. Jeter dans le bouillon 250 g de gourganes pelées, une cuillerée à soupe d'herbes salées, sel et poivre selon le goût. Couvrir et laisser mijoter jusqu'à cuisson des gourganes (entre 1 h 30 et 2 h). 30 minutes avant la fin de la cuisson, ajouter 60 g d'orge.

Cipâte

Vider, flamber et couper une volaille (dinde, poulet, perdrix) et du lièvre ou du lapin. Faire revenir des bardes de lard dans une casserole avec un gros oignon haché et du persil. Rouler les morceaux de volaille dans la farine et les ajouter. Laisser prendre couleur, recouvrir le mélange d'eau chaude et assaisonner selon le goût ; couvrir hermétiquement et laisser mijoter 40 minutes.

Tapisser un plat creux de pâte à tarte ainsi que les bords jusqu'à 8 cm en hauteur. Disposer une couche de viande de porc haché cru avec du céleri, puis la préparation de volaille, puis une couche de pommes de terre. Recommencer l'opération jusqu'à épuisement des ingrédients. Mettre quelques tranches de lard salé sur le dessus, verser le bouillon de cuisson et recouvrir le tout d'une abaisse de pâte en ménageant une ouverture au milieu pour y verser du jus au besoin. Faire cuire au four à 180°C pendant 3 heures.

Tarte au sirop d'érable

Faire bouillir ensemble une tasse de lait et deux tasses de sirop d'érable. Ajouter deux cuillerées à soupe de fécule de maïs diluée dans un peu de lait froid. Faire bouillir 5 minutes au bain-marie, en remuant constamment.

Verser deux jaunes d'œufs battus et mélanger à nouveau. Faire cuire pendant 5 minutes. Verser dans une abaisse de tarte cuite ; recouvrir de meringue faite avec deux blancs d'œufs.

La nature

S'il y a un pays que l'on associe volontiers à la nature, aux grands espaces, aux animaux sauvages, c'est bien le Québec.

La nature y est, en effet, présente partout. Pas besoin d'aller la chercher bien loin, elle vient à vous à la sortie du village, au bout d'un « rang », le long des axes routiers et des cours d'eau. Aussi paradoxal que cela puisse paraître, elle ne se laisse pas pénétrer facilement à moins de circuler en hydravion et de la découvrir par sauts de puce, de lac en lac.

Ne l'oublions pas, le Québec est un pays à l'échelle d'un continent et la nature y devient immensité. A l'extrême nord, il y a la toundra et ses grands troupeaux de caribous, puis la taïga ; au sud du 50e parallèle s'étend la forêt, sur 770 000 km² soit près de la moitié du territoire québécois, ou encore une fois et demie la superficie de la France. Cette forêt au potentiel commercial immense se subdivise, du nord au sud, en trois strates : la forêt résineuse, la forêt mélangée et la forêt feuillue. Pour impressionnantes que soient ces étendues, il ne faut pas oublier les atteintes auxquelles sont soumises la forêt et la faune du fait des rejets polluants et des pluies acides qui compromettent les fragiles équilibres établis depuis des millénaires. Comme dans beaucoup d'autres pays, une certaine prise de conscience

a poussé les autorités québécoises à adopter des mesures de préservation du patrimoine naturel.

Pour découvrir la nature, le meilleur moyen qui s'offre au touriste réside dans les réseaux de parcs, réserves fauniques et les zones destinées à la pêche et à la chasse qui quadrillent le pays.

Le Québec compte trois parcs administrés par le gouvernement fédéral du Canada, et trente-deux parcs et réserves fauniques sous l'autorité de l'administration provinciale. En ce qui concerne la pêche et la chasse, des Zones d'exploitation contrôlée accueillent l'amateur, mais aussi le touriste. Ces Z.E.C. s'étendent sur des territoires dont l'offre faunique est suffisante pour satisfaire la demande des chasseurs et des pêcheurs ; elles sont gérées par des associations sans but lucratif qui regroupent des habitants de la région.

Les parcs proposent dans l'ensemble une gamme de services variés et payants. Pour l'hébergement, le touriste y trouvera quelquefois une auberge, des chalets, des refuges, toujours des terrains de camping plus ou moins confortables suivant le cas. Compte tenu du nombre limité de chalets, il convient de s'inscrire à l'avance pour une location ; leur attribution fait ensuite l'objet d'un tirage au sort. Aux postes d'accueil où s'effectue l'enregistrement, on peut, suivant les parcs et les réserves fauniques, louer certains équipements de loisirs : bicyclette, canot, chaloupe, pédalo, planche à voile, raquette et ski de randonnée. Les parcs sont en effet aménagés pour offrir aux visiteurs la possibilité de pratiquer la baignade, la canotage, la pêche, la randonnée à ski, à bicyclette ou pédestre. La chasse est strictement interdite dans les parcs et soumise à une réglementation particulière dans les réserves fauniques. Le plus souvent, un centre d'interprétation présente les attraits de la région et en développe certaines particularités.

Le Québec compte 71 Z.E.C. de pêche et de chasse, 9 de pêche au saumon le long de 675 km de rivières à saumons, et 1 de chasse à l'oie blanche. Ces structures qui font particulièrement le bonheur des chasseurs et des pêcheurs peuvent accueillir d'autres passionnés de la nature, puisqu'elles proposent presque toutes des emplacements de camping à leurs usagers. Il faut naturellement acquitter un droit d'entrée et un droit de pêche et de chasse.

Au Québec, la faune est globalement très diversifiée ; mais que peut-on y chasser et pêcher ? Vous pourrez chasser le caribou, uniquement dans le Grand Nord pour les non-résidents, le cerf de

Virginie, l'orignal, l'ours noir. En ce qui concerne le petit gibier, vous aurez le choix entre : le lapin à queue blanche, le lièvre d'Amérique ou arctique, le raton laveur, le renard roux, le lynx roux, la gélinotte huppée ou à queue fine, la perdrix, le faisan, le dindon sauvage, le canard, l'oie, la bécasse, etc. mais aussi d'autres espèces comme le coyote, le loup et la marmotte.

Suivant les cours d'eau et les lacs, vous pourrez taquiner la truite mouchetée, la truite grise, le grand brochet, le doré sans oublier le saumon que l'on trouve dans les régions de la côte Nord, du Saguenay et en Gaspésie.

Il va sans dire qu'il faut un permis pour la pêche et la chasse et que ces sports ne se pratiquent pas n'importe où et n'importe quand, que les prises sont limitées et doivent être obligatoirement déclarées. Ami chasseur, si vous souhaitez vous en prendre à l'ours noir, sachez qu'il ne vous est permis d'en abattre qu'un pendant la saison de printemps et qu'un pendant la saison d'automne !

Que vous alliez à la chasse ou non, que vous partiez à l'aventure ou non, un périple touristique au Québec vous permettra le plus simplement du monde d'entrevoir quelques espèces en voie d'extinction, comme les belugas et autres mammifères marins qui croisent dans les eaux du Saint-Laurent jusqu'à l'embouchure du Saguenay ; à moins que ce ne soient des phoques ou des fous de Bassan en Gaspésie.

Les fêtes

Avant de se rendre au Québec, il convient de savoir que les Québécois ont en commun un sens de la tolérance qui leur permet d'être facilement accueillants. Sans trop de préjugés, ils vous reçoivent chez eux : rien de tel pour vous mettre à l'aise et faciliter les échanges de vues.

Les occasions de rencontres ne manquent pas, entre autres au cours des nombreuses fêtes et manifestations sportives qui ponctuent l'année et célèbrent le rythme des saisons.

En plein hiver, au mois de février, se déroulent un peu partout des « fêtes des neiges » et des carnavals, celui de Québec étant le plus réputé. Fin mars, début avril, quand le printemps commence à poindre, vient le temps des parties de sucre. On se retrouve à la « cabane à sucre » — certaines peuvent accueillir plusieurs centaines de personnes ; on y prend le repas puis l'on déguste la « tire », ce concentré chaud de sève d'érable étendu en filaments sur la neige et durci à son contact.

Qui dit hiver dit bien sûr glace et patinage. Pendant les longs mois d'hiver, les patinoires publiques deviennent de gigantesques lieux de fêtes. Si vous en avez l'occasion, ne manquez pas d'aller encourager l'équipe des « Canadiens » de Montréal ou des « Nordiques » de Québec à l'occasion d'un match international de hockey.

Au cours de l'été, le Québec est animé par plus de 200 fêtes, ô combien sympathiques par leur côté kermesse villageoise. C'est la nature qui règle le calendrier et donne le thème de ces manifestations. Ainsi, suivant la date de votre séjour et votre circuit, vous aurez peut-être l'occasion de fêter : la fraise, la gourgane, le bleuet, les foins, l'oie blanche, la gibelotte, la truite... à moins que ce ne soit le cochon, le bœuf, l'orignal ou la baleine bleue ! Échappant aux lois de la nature, quelques festivals ont développé une très intéressante dimension culturelle qui ne vous échappera pas comme le festival de jazz de Montréal, le festival de la francophonie de Québec ou le festival d'été de Lanaudière.

Achats et souvenirs

Que rapporter d'un séjour au Québec ? D'abord des objets d'artisanat local : des dessins et des sculptures inuites en pierre à savon ; des objets en cuir — bottes, gants, chapeaux — travaillés par les Amérindiens.

Si vous ne souhaitez pas acheter une sculpture taillée en Asie du Sud-Est, demandez un certificat d'origine : d'excellentes boutiques spécialisées sont le relais de vente de coopératives d'artisans autochto-

Magasin d'objets hurons

nes. Dans le genre objet exotique particulièrement difficile à manier à Paris et qui termine finalement sa vie accroché à un mur, signalons la paire de raquettes indiennes.

Dans un tout autre registre, il y a les fourrures. Ne l'oublions pas, Montréal reste encore l'une des capitales mondiales de la fourrure. Beaucoup moins chers qu'à Paris, les manteaux de vison ne sont tout de même pas à la portée de toutes les bourses. Vous vous rabattrez peut-être sur un chapeau ou une toque.

Pour retrouver en Europe quelques goûts du Québec, vous penserez, bien sûr, à rapporter des produits à base de sirop d'érable — bouteille de sirop ou confiseries — mais aussi de la liqueur de bleuet. Vous vous réserverez évidemment une petite place au fond de la valise pour la pièce de saumon fumé ; vous aurez soin de l'envelopper dans du papier paraffiné mais surtout de la faire voyager, bien au frais, dans la soute à bagages. Bon appétit !

Québec

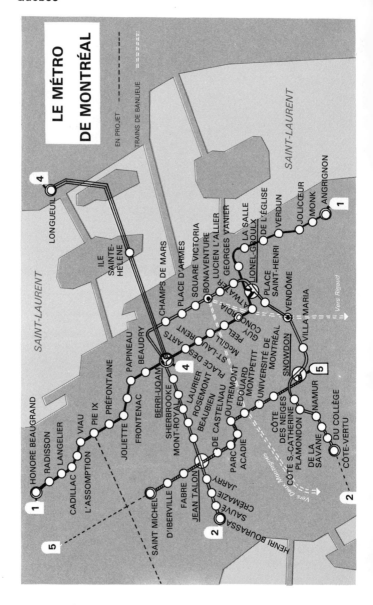

LE MÉTRO
DE MONTRÉAL

EN PROJET

TRAINS DE BANLIEUE

Vue générale du centre ville depuis le Mont Royal

Montréal

CŒUR de la vie économique, sociale et culturelle du Québec, Montréal est établie sur une grande île de 48 kilomètres de long sur 16 de large au confluent de la rivière des Outaouais et du fleuve Saint-Laurent. La communauté urbaine de Montréal regroupe 29 municipalités ; en tout, plus de 3 millions d'habitants, soit presque la moitié de la population de la province, gravitent autour de la métropole. Capitale culturelle et économique du Canada pendant le XIXe siècle et la première moitié du XXe, Montréal a vu son rôle s'effriter et a difficilement traversé la dernière crise économique.

Non, Montréal n'a pas souffert des bombardements de la Seconde Guerre mondiale comme on pourrait le croire ! En effet, avec son tissu urbain distendu où la frontière entre le centre et la banlieue reste floue, la ville laisse au visiteur de passage un arrière-goût de terrains vagues, de parkings, de quartiers en pleine décrépitude et de ruelles croulant sous les câbles aériens. Cet état de fait provient de l'absence de volonté politique de ses édiles, mais surtout de leur démission devant les lobbies et les puissants groupes économiques. La politique de préservation du patrimoine frise souvent le bluff et la caricature, comme ces « fouilles » archéologiques organisées l'été avec grand renfort de publicité à 200 mètres de l'hôtel de ville tandis que, plus discrètement, la municipalité laisse démolir l'hôtel Queen's, l'un des plus remarquables bâtiments de la fin du XIXᵉ siècle !

Mais que le visiteur ne se décourage pas : Montréal a plus d'un tour dans son sac, comme sa vieille ville ou ses parcs.

Elle reste aussi la ville la plus vivante du Québec, et surtout la plus ouverte sur le monde extérieur.

L'univers anglophone y est proche, et c'est là que la langue française reste le plus ouvertement menacée. Pour mémoire, 65 % des Montréalais ont pour langue maternelle le français, 15 % l'anglais et 20 % d'autres langues. Montréal demeure, par sa situation linguistique, une ville de contradictions et de confrontations qui engendrent l'une des plus riches dynamiques culturelles d'Amérique du Nord.

Un peu d'histoire

1535, Jacques Cartier remonte le Saint-Laurent ; bloqué en amont par les rapides, il s'arrête sur l'île de Montréal à proximité du village iroquois d'Hochelaga. En 1611, Champlain établit un premier poste sur ce qu'il appelle la place Royale. C'est en fait un siècle plus tard qu'en France, Jérôme de la Dauversière, après avoir lu les relations des jésuites, lance l'idée d'installer une colonie permanente sur le site. Il fonde avec le Père Olier, lui-même initiateur de l'ordre des Sulpiciens, la société « Notre-Dame de Montréal ». L'esprit qui règne en France, à l'époque, est davantage tourné vers la propagation de la foi et la conversion des « sauvages » que vers le développement du commerce. L'expédition commandée par un jeune officier de 30 ans, Paul de Chomedey, sieur de Maisonneuve, compte une cinquantaine de colons et trois femmes dont Jeanne Mance. Le 17 mai 1642, le groupe s'installe à l'ouest de ce qui est le vieux Montréal et baptise le site « Ville-Marie ». Deux ans plus tard, Jeanne Mance fonde l'Hôtel-Dieu, premier hôpital de Montréal.

Pendant la seconde moitié du XVIIe siècle, la colonie va se développer lentement, sous la menace permanente des Iroquois. Des fortifications sont érigées et des rues tracées en damier, à partir de 1672. Le séminaire, aujourd'hui le plus vieux bâtiment de la ville, est édifié en 1685. Au moment de la signature du traité de paix avec les Iroquois en 1701, Montréal compte 2 000 habitants et la quasi-totalité de l'île est aux mains des Sulpiciens.

La ville est aussi devenue un poste important pour la traite des fourrures et un tremplin pour la colonisation du continent. De Montréal partent ainsi Cavelier de la Salle qui fonde Chicago, Greysolon du Luth qui atteint le lac Supérieur, La Mothe Cadillac qui jette les bases de Détroit et les frères Le Moyne qui explorent la Louisiane et la Nouvelle-Orléans. Montréal jouit en effet d'une situation privilégiée qui lui permet d'être en communication fluviale avec le Sud-Ouest et les Grands Lacs par le fleuve Saint-Laurent, avec le Nord et le Nord-Ouest par la rivière des Outaouais, avec le Sud par la rivière Richelieu, le lac Champlain et l'Hudson.

Pendant tout le XVIIIe siècle, la traite des fourrures va constituer la principale activité économique de la ville et contribuer à sa prospérité. Les plaines environnantes vont aussi assurer son autosuffisance alimentaire. En 1760, Montréal, après Québec, tombe aux mains des

Montréal sous la neige

Anglais ; la ville abrite alors 5 000 habitants français. Quinze ans plus tard, elle est de nouveau occupée pendant quelques mois par les troupes américaines.

Sous la domination anglaise, la population et l'activité de Montréal vont s'accroître. La ville devient d'abord un lieu de passage obligé pour les immigrants se rendant vers le Haut-Canada ; le port voit ainsi son trafic augmenter. Le commerce et l'industrie artisanale se développent dans la vieille ville ; en 1784, des Écossais fondent la Compagnie du Nord-Ouest — compagnie de traite des fourrures et de commerce — qui va marquer pendant une génération les activités de la ville.

Au XIXe siècle, Montréal devient la métropole du Canada et son activité repose sur l'industrie et la finance ; la ville déborde de ses fortifications, qui seront démolies petit à petit. En 1817, la première banque du Canada — la Banque de Montréal — ouvre ses guichets ; la chambre de commerce est inaugurée en 1842 et la Bourse en 1874. Parallèlement, les communications avec la ville s'améliorent et se multiplient ; avec le dragage du fleuve, le port accueille les grands trois-mâts et les vapeurs. En 1825, le canal Lachine, qui contourne les rapides, est mis en eau. Il constituera d'ailleurs l'un des principaux axes géographiques du développement industriel de l'agglomération montréalaise jusqu'aux années 1950. Entre 1836 et 1864, Montréal est connecté aux principales voies ferrées du continent.

Cette métropole où les anglophones ont la haute main sur le pouvoir économique — et le détiendront sans partage jusqu'à une période récente — devient le théâtre de mouvements nationalistes et sociaux. En 1837 est fondée l'Association des Fils de la Liberté qui sera à l'origine de la rébellion des « Patriotes » contre la colonisation anglaise. La ville, capitale du Canada entre 1844 et 1849, connaît ses premières grèves lors de l'élargissement du canal Lachine en 1848 ; l'année suivante éclate une insurrection pendant laquelle le parlement est incendié. Plus que toute autre ville au Québec, Montréal connaît au XIXe siècle d'importantes fluctuations dans la composition de sa population. Vers les années 1850, la majorité de ses habitants devient anglophone avec l'arrivée massive d'immigrants irlandais. A partir de 1860, le mouvement s'inverse dans cette ville qui compte 100 000 habitants ; la révolution industrielle va, en effet, pousser nombre de francophones à quitter les campagnes pour rejoindre les faubourgs ouvriers de Montréal.

Se déplacer dans Montréal

L'idéal, c'est la voiture ; comme toutes les villes nord-américaines, Montréal et sa banlieue sont très étendues ; le développement des transports en commun n'y est guère ressenti comme une priorité.

Le métro : 4 lignes, 65 stations dont 4 correspondances, toutes décorées avec plus ou moins de goût. La distance entre les stations est particulièrement grande vers la périphérie. On prend le métro en toute sécurité : rassurez-vous, ce n'est pas New York !

Les bus : lorsque l'on regarde la carte du réseau, on pourrait être impressionné par le nombre de lignes ; mais la fréquence des bus sur de très nombreuses lignes vous renvoie à de dures réalités ! Par les longs mois d'hiver, les abribus font particulièrement défaut.

Au XXᵉ siècle, la métropole est touchée de plein fouet par la crise de 1929 ; puis les années 50 inaugurent son imperceptible déclin économique au profit de Toronto. L'Exposition universelle de 1967 et les Jeux olympiques de 1976 contribuent à modifier la physionomie de la ville et à la sortir de sa torpeur, sans toutefois la propulser au rang de métropole internationale. Aujourd'hui Montréal pâtit encore, économiquement parlant, du départ pour l'Ontario de 100 000 anglophones qui, impliqués dans la finance et l'industrie, ont pris peur à l'arrivée au pouvoir en 1976 des « Indépendantistes » du parti québécois.

Le vieux Montréal

Coupé du reste de la ville par un « no man's land » traversé par l'autoroute Ville-Marie, le vieux Montréal occupe à peu près l'emplacement de la ville fortifiée originelle ; il est délimité par les rues Saint-Jacques et Notre-Dame au nord, la rue de la Commune au sud, les rues Berri à l'est et MacGill à l'ouest. De dimensions relativement réduites, le quartier, en cours de rénovation, se visite agréablement à pied ; ses différents bâtiments offrent une variété architecturale qui témoigne de l'évolution et de l'importance de la ville par le passé. Très schématiquement, une promenade dans le vieux Montréal commence place d'Armes puis s'articule le long des principaux axes est-ouest ; rue Notre-Dame et rue Saint-Paul. Entre les deux, de petites rues où l'on déambule avec plaisir sans vraiment risquer de se perdre.

La place d'Armes

C'est un peu le cœur du quartier avec la cathédrale Notre-Dame, le séminaire édifié en 1685 et toujours résidence des Sulpiciens. En face, le bâtiment de la Banque de Montréal avec son entrée remarquable et son petit musée ; à l'angle avec la rue Saint-Jacques, le premier « gratte-ciel » de la ville.

La partie est

En prenant la rue Notre-Dame vers l'est, on passe devant les trois palais de justice successifs de Montréal ; l'architecture du plus récent jure avec l'environnement.

Sur le même trottoir, le bâtiment suivant est le palais le plus ancien, construit en 1849 ; sur le trottoir opposé se dresse l'édifice Ernest Cormier — le palais de justice des années 1930 ; il a été transformé en conservatoire et accueille des expositions d'art. On arrive ensuite à l'hôtel de ville, de style Second Empire, et à la place Jacques-Cartier, haut lieu de rassemblement touristique. Elle descend en pente douce vers le vieux port : bordée de maisons du XIXᵉ siècle, cette place fut jadis un marché public.

Québec

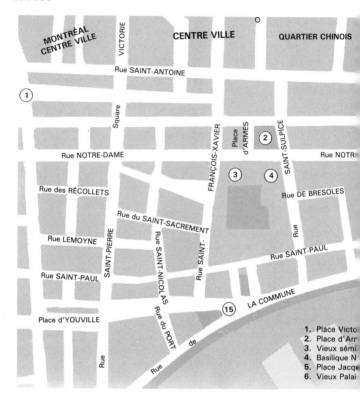

MONTRÉAL CENTRE VILLE

VICTORIE

CENTRE VILLE

QUARTIER CHINOIS

Rue SAINT-ANTOINE

Square

①

Rue NOTRE-DAME

FRANÇOIS-XAVIER

Place d'ARMES

②

SAINT-SULPICE

Rue NOTR

Rue des RÉCOLLETS

③ ④

Rue DE BRESOLES

Rue du SAINT-SACREMENT

Rue

Rue LEMOYNE

SAINT-PIERRE

Rue SAINT-

Rue SAINT-NICOLAS

Rue SAINT-

Rue SAINT-PAUL

Rue SAINT-PAUL

LA COMMUNE

⑮

Place d'YOUVILLE

Rue du PORT

de

Rue

Rue

1. Place Victo
2. Place d'Arr
3. Vieux sémi
4. Basilique N
5. Place Jacqu
6. Vieux Palai

Juste en face de l'hôtel de ville s'élève le château Ramezay.

En poursuivant jusqu'à la rue Berri, on arrive à l'angle sur la résidence de Sir Georges-Étienne Cartier, aujourd'hui transformée en musée fédéral ; la visite des lieux où vécut ce bourgeois francophone, initiateur de la confédération, est particulièrement instructive sur la naissance de cet État dont fait partie la province du Québec. En contour-

nant le pâté de maisons par la rue Berri, on débouche sur la rue Saint-Paul. Dans la portion qui va jusqu'à la place Jacques-Cartier, on prêtera attention à la maison Du Calvet (au nᵒ 401), à la chapelle Notre-Dame-de-Bonsecours édifiée en 1772 et du haut de laquelle on peut contempler le vieux port, et enfin à l'ancien marché Bonsecours qui abrite aujourd'hui des services munici-paux.

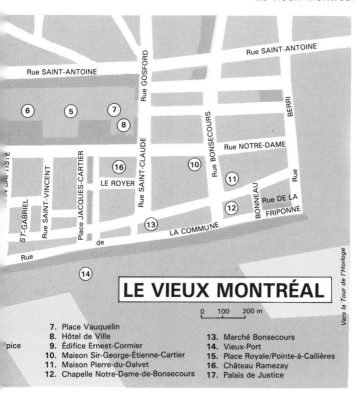

LE VIEUX MONTRÉAL

0   100   200 m

Vers la Tour de l'Horloge

7. Place Vauquelin
8. Hôtel de Ville
9. Édifice Ernest-Cormier
10. Maison Sir-George-Étienne-Cartier
11. Maison Pierre-du-Oalvet
12. Chapelle Notre-Dame-de-Bonsecours

13. Marché Bonsecours
14. Vieux-Port
15. Place Royale/Pointe-à-Callières
16. Château Ramezay
17. Palais de Justice

La partie ouest

On la découvre en longeant la rue Saint-Paul vers l'ouest jusqu'à la rue MacGill. Cette portion de rue est devenue un des hauts lieux de la spéculation immobilière à Montréal avec ses entrepôts, longtemps abandonnés puis transformés en habitations comme ceux de la rue Le Royer, et ses boutiques « branchées ». En poursuivant, on arrive à la petite place Royale baptisée ainsi par Champlain et sur laquelle donne l'ancien bâtiment des douanes construit en 1836.

A partir de cette place, on pourra explorer la partie sud-est du vieux Montréal : particulièrement peu animée, elle recèle d'intéressants bâtiments et entrepôts, en particulier le long des rues Saint-Pierre et Normand. Immédiatement au sud de la place Royale s'étend la Pointe-à-Callières, où fut établie en 1642 la

35

première colonie ; elle se prolonge à l'ouest par la place d'Youville, délimitée entre autres par l'ancienne caserne de pompiers transformée en petit musée, et l'imposant édifice des douanes.

On ne manquera pas d'entrer dans la cour des « Écuries d'Youville », ensemble d'entrepôts des années 1830 qui n'ont jamais abrité de chevaux et ont été transformés en habitations. Au 118 de la rue Saint-Pierre se trouve le musée Marc-Aurèle Fortin. En remontant vers le nord la rue MacGill on remarque, au nº 360, le bâtiment du ministère de l'Immigration du Québec, entrez-y, c'est l'ancien siège social du « Grand Trunc », l'une des compagnies ferroviaires de Montréal à la fin du XIXᵉ siècle.

Au niveau de la place Victoria, on reprend sur la droite soit la rue Saint-Jacques, soit la rue Notre-Dame jusqu'à la place d'Armes. Cette portion de trajet compte de très nombreux édifices bancaires assez étonnants. Le quadrilatère délimité par les rues MacGill, Saint-Jacques, Saint-François-Xavier et Saint-Paul abrite plusieurs édifices de la seconde moitié du XIXᵉ siècle et du début du XXᵉ. Cette partie de la rue Saint-Jacques fut autrefois le haut lieu de la finance canadienne. On n'hésitera pas à pénétrer, par exemple, dans le superbe hall de la banque Royale (au nº 360) construite en 1928.

L'édifice de la banque Royale de Canada

Quelques axes de promenade

Compte tenu de la réalité urbaine de Montréal, nous vous proposons quelques axes de promenade plutôt qu'un parcours suivi.

La rue Sainte-Catherine

Dans la portion comprise entre la rue Saint-Hubert à l'est et la rue MacKay à l'ouest, c'est la rue commerçante de Montréal avec ses grands magasins, centres commerciaux, boutiques et, au carrefour avec le boulevard Saint-Laurent, son « quartier chaud ». Certains bâtiments méritent le coup d'œil pour leur architecture des années 30 ou bien contemporaine, d'autres pour les rénovations entreprises. Ne manquez pas de pousser la porte des édifices « Sun Life » et « Dominion Square », des « Cours Mont-Royal » et du très raffiné magasin « Ogilvy », remarquable par sa rénovation intérieure.

Arrivé à la rue Metcalf, on peut prendre sur la gauche et découvrir les alentours du Carré Dominion avec la cathédrale Marie-Reine-du-Monde et la gare Windsor. Vers l'est, se déroule le boulevard René-Lévesque, prévu comme l'axe « monumental » du développement futur de la ville. De retour sur Sainte-Catherine, on emprunte les rues Bishop, de la Montagne et Crescent vers le nord : elles constituent le quartier du musée des beaux-arts, qui se prolonge vers l'est le long de la rue Sherbrooke jusqu'à la rue Metcalf.

La rue Saint-Denis

Entre la rue Sainte-Catherine au sud et l'avenue du Mont-Royal au nord.

Dans la portion qui monte de Sainte-Catherine jusqu'à la rue Ontario, c'est le quartier étudiant à proximité de l'université du Québec à Montréal ; petits bistrots avec terrasse ; zone très touristique en été et particulièrement animée pendant le festival de jazz.

Plus vers le nord, la rue longe le seul square victorien de la ville, scandaleusement dénaturé par le bâtiment de l'institut hôtelier. Le square et la rue piétonnière Prince-Arthur qui y aboutit à l'ouest sont particulièrement « branchés ».

De la rue Cherrier à l'avenue du Mont-Royal, la rue Saint-Denis aligne d'année en année de plus en plus de boutiques de mode, de restaurants, de cafés, de librairies... A signaler, la rue Du Luth, rue perpendiculaire à la rue Saint-Denis qui compte de nombreux restaurants grecs et italiens.

La rue Laurier

Entre la côte Sainte-Catherine à l'ouest et le boulevard Saint-Laurent à l'est, c'est la nouvelle rue à la mode, très « clean ».

La rue Bernard

Elle se trouve dans la partie située sur la municipalité d'Outremont, à l'ouest de l'avenue du Parc. Des boutiques, un théâtre, une bonne librairie, un magasin de crèmes glacées réputé... une portion de rue qui commence à avoir de l'allure et que l'on peut suivre jusqu'à la rue Davaar ; on prendra cette dernière sur la droite ou bien sur la gauche jusqu'à la bibliothèque municipale, car elle est particulièrement agréable avec ses belles maisons cossues.

L'ouest de Montréal

Il convient de signaler, dans la partie anglophone de la ville quelques rues agréables à longer comme les rues Victoria et Green entre Sherbrooke au nord et Sainte-Catherine au sud.

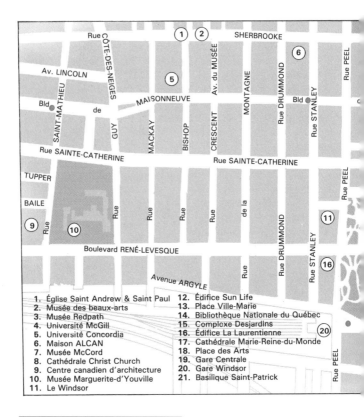

1. Église Saint Andrew & Saint Paul
2. Musée des beaux-arts
3. Musée Redpath
4. Université McGill
5. Université Concordia
6. Maison ALCAN
7. Musée McCord
8. Cathédrale Christ Church
9. Centre canadien d'architecture
10. Musée Marguerite-d'Youville
11. Le Windsor
12. Édifice Sun Life
13. Place Ville-Marie
14. Bibliothèque Nationale du Québec
15. Complexe Desjardins
16. Édifice La Laurentienne
17. Cathédrale Marie-Reine-du-Monde
18. Place des Arts
19. Gare Centrale
20. Gare Windsor
21. Basilique Saint-Patrick

Montréal souterrain

Avec la mise en chantier du métro et la construction de la première tour à bureaux de la place Ville-Marie en 1962, commença l'édification d'un réseau souterrain de connexions — passages, places et galeries marchandes — entre différents bâtiments, gares ferroviaires, grands magasins et quelques stations de métro.

Aujourd'hui plus de 15 kilomètres de passages souterrains sont ouverts au public et particulièrement appréciés par grand froid. Pendant les longs mois d'hiver, une vie souterraine s'y développe en journée avec ses lieux de rencontre, ses expositions culturelles, ses animations commerciales et ses soldes de fin

38

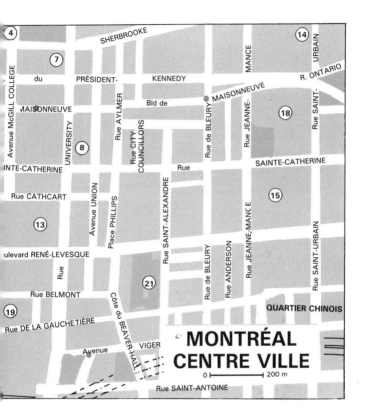

d'année. Les beaux jours arrivés, la ville souterraine perd de sa sève et de son charme… jusqu'au prochain hiver !

Voici les principales stations de métro à partir desquelles le Montréal souterrain tisse sa trame.

Station Berri-UQAM : elle est reliée à la gare de bus longue distance « Voyageur », l'université du Québec à Montréal et les galeries commerciales de la « Place Dupuy ». Cette station est particulièrement fréquentée par les « Robineux » (clochards) du bas de la rue Saint-Denis.

Stations Place d'Armes et Place des Arts : elles ne sont pas situées sur la même ligne et pourtant elles communiquent par les complexes Guy-Favreau et Desjardins.

Place des Arts

La station Place d'Armes dessert directement le palais des Congrès. Le complexe Guy-Favreau, quant à lui, abrite les bureaux de plusieurs ministères du gouvernement fédéral, dont ceux chargés du prolongement des visas ; également, la salle de cinéma de l'Office national du film où sont projetés des films canadiens ; le rez-de-chaussée accueille de nombreuses expositions photographiques. Signalons que du fait de sa proximité par rapport au « quartier chinois », le complexe Guy-Favreau est un des lieux favoris de rassemblement des Asiatiques.

Le complexe Desjardins, intéressant par son volume, abrite trois tours à bureaux, un hôtel et un cinéma ; à noter pour ceux qui veulent en savoir plus sur le Québec, la librairie des Publications gouvernementales du Québec.

La station Place des Arts communique avec un ensemble culturel qui se compose de trois salles de spectacles, un café-théâtre et le futur musée d'art contemporain.

Station MacGill : elle dessert la toute nouvelle tour de la « Maison des Coopérants », les grands magasins « La Baie » et « Eaton », les centres commerciaux des « Promenades de la Cathédrale » et de la « Place Montréal Trust ».

Station Peel : elle donne sur les « Cours Mont Royal », ancien hôtel admirablement restauré et transformé en galeries commerciales de luxe et en habitations de standing.

Station Bonaventure : elle se trouve sous le plus grand immeuble commercial du Canada ; elle est connectée à deux gares — la gare Windsor et la gare Centrale — et à la « Place Ville-Marie » dont l'architecte est E. Pei, celui de la pyramide du Louvre à Paris.

Montréal cosmopolite

Un des charmes de la ville réside dans la variété des communautés ethniques qui s'y côtoient. Le Québec reste une terre d'immigration et Montréal la principale ville d'accueil, et surtout le seul pôle d'attraction de la province. De nombreuses communautés — grecque, italienne, portugaise, juive, haïtienne, asiatique ou d'Europe centrale — s'y sont développées en essayant tant bien que mal de sauvegarder une parcelle d'identité culturelle tout en respectant, non sans difficulté, le fait francophone.

Le boulevard Saint-Laurent a longtemps été la ligne de démarcation de Montréal : à l'est les francophones, à l'ouest les anglophones. Ce boulevard est devenu avec l'avenue du Parc — dans la portion comprise entre l'avenue du Mont-Royal et la rue Van Horne — l'axe principal d'une première installation pour différents groupes ethniques.

Compte tenu de l'étirement du tissu urbain, certaines portions du boulevard Saint-Laurent et de l'avenue du Parc peuvent être agréablement parcourues à pied ; pour d'autres, il est préférable de s'y rendre directement en empruntant les bus 55 et 80, qui remontent respectivement le boulevard Saint-Laurent et l'avenue du Parc.

Quartier chinois

Le boulevard Saint-Laurent

Entre la rue Viger et le boulevard René-Lévesque s'étend le « quartier chinois ». A la suite des travaux du palais des Congrès et de la monstrueuse autoroute Ville-Marie, ce dernier a été réduit à quelques pâtés de maisons qui s'articulent le long de la rue de la Gauchetière. Le quartier est naturellement pittoresque.

Entre la rue Sherbrooke et l'avenue du Mont-Royal, de nombreux magasins d'alimentation et restaurants juifs, slaves et portugais. Les juifs furent nombreux dans ce quartier entre les années 1900 et 1930, puis ils se déplacèrent vers le nord-ouest à Outremont et Ville Mont-Royal ; ils sont remplacés par une importante communauté portugaise, installée de l'avenue des Pins à l'avenue du Mont-Royal sur les rues Clark, Saint-Urbain et Saint-

Dominique. A mi-chemin, le boulevard Saint-Laurent est coupé par la rue Prince-Arthur, rue piétonnière et touristique à souhait avec ses restaurants grecs.

Beaucoup plus au nord, entre la rue Saint-Zotique et la rue Jean-Talon (station de métro : Jean Talon) : c'est le quartier de la « Petite Italie », à proximité du marché Jean Talon. On y achète des pâtes fraîches et de la ricotta, on y boit de délicieux expressos et l'on trouve même du marbre de Carrare pour refaire sa salle de bain.

L'avenue du Parc

Entre l'avenue du Mont-Royal et la rue Van-Horne, elle rassemble des membres des communautés juive et grecque, particulièrement dans les rues transversales Fairmount, Saint-Viateur et Bernard.

Ailleurs sur l'île de Montréal, on retrouve des immigrants installés dans diverses zones résidentielles de l'île. Ainsi une importante communauté d'origine italienne s'est développée dans la municipalité de Saint-Léonard, le long du boulevard Jean-Talon et autour des « Galeries d'Anjou ».

Des communautés asiatiques — vietnamienne, cambodgienne ou laotienne — se sont formées à Montréal dans le quartier de la « Plazza » Côte des Neiges, dans la municipalité de Ville Saint-Laurent, ou bien sur la rive sud du fleuve à Brossard.

Plus récemment, les communautés arabe et libanaise se sont installées dans les municipalités de Ville Mont-Royal et Saint-Laurent.

Quelques adresses

Voici quelques bonnes adresses pour découvrir le Montréal des différentes communautés ethniques, certaines sont de véritables institutions, d'autres correspondent aux coups de cœur de l'auteur.

— Déguster un « Smoked meat » :
Schwartz : 3895, Saint-Laurent.
Deli Lester : 1057, Bernard Ouest.
Ben's : 990, de Maisonneuve Ouest.

— Déguster un bon « steak » :
Moishe's : 3961, Saint-Laurent.

— Une bonne soupe vietnamienne :
Pho Pasteur : 7087, Saint-Denis.

— Sans doute le meilleur chinois de Montréal :
Elysée Mandarin : 1221, MacKay.

— La meilleure pizza :
La Pizzaïolle : 5100, Hutchison.

— Un bon restaurant italien :
Il Rubesco : 371, Guizot Est.

— Le fast-food libanais bon et pas cher :
Chez Bacha : 930, Sainte Catherine Ouest.

— Du poulet rôti à emporter ou à manger au comptoir :
Barbecue Portugais Coco Rico : 3907, Saint-Laurent.

— Dans le genre petite pâtisserie à déguster sur place :
Boulangerie El Réfugio : 4648, Saint-Laurent.

Pâtisserie Toman : 1421, MacKay

(gâteaux excellents, cadre sympa ; quand on pense que cette maison devait être démolie par la ville !).

Les principaux musées

Musée MacCord
d'histoire canadienne

S'il n'y en avait qu'un à visiter à Montréal : ce serait celui-ci ! Coup de cœur en effet pour ce musée, qui connaît lui aussi des travaux d'agrandissement. Collection très importante concernant les cultures inuites et amérindiennes ; également jeux, jouets et vêtements québécois. Le musée a hérité des impressionnantes archives d'un photographe qui a exercé dans la ville de Québec pendant la seconde moitié du XIXe siècle.

Centre canadien
d'architecture

Inauguré en 1989, le nouveau centre, de facture résolument moderne, est relié à la maison Shaughnessy, splendide résidence victorienne de la fin du XIXe sauvée in extremis de la destruction. Le centre, animé et supervisé par Mme Phyllis Lambert, possède l'une des trois plus grandes bibliothèques du monde ainsi qu'une collection de 20 000 plans originaux du XVe siècle à nos jours.

On appréciera aussi la librairie, où l'on peut consulter confortablement et acheter d'excellents ouvrages publiés un peu partout dans le monde.

Musée des Beaux-Arts

Fondé en 1860, c'est le plus ancien musée du Canada ; très à l'étroit dans cet édifice bâti en 1912,

Le musée des Beaux-Arts

il est entré dans une phase d'agrandissement de l'autre côté de la rue Sherbrooke.

Les deux tiers des collections sont consacrés naturellement à l'art québécois et canadien. Également, intéressantes collections de céramiques de Perse, de porcelaines anglaises des XVIIIe et XIXe siècles, de boîtes à encens japonaises. Les expositions temporaires présentées par le musée sont tout particulièrement à visiter. Dernier détail : on y trouve la plus importante bibliothèque d'art du Canada.

Musée d'Art contemporain

Collection d'œuvres postérieures à 1940 et principalement d'origine québécoise ; toutes les disciplines de l'art contemporain y sont représentées : peinture, sculpture, dessin, gravure, vidéo, photographie, etc. Complètement excentré, le musée devrait déménager, en 1991, place des Arts.

Après la visite du musée on en profitera pour jeter un coup d'œil 500 mètres plus loin — en direction du pont de la Concorde — à l'étonnant complexe résidentiel Habitat 67, construit pour l'Exposition universelle.

Musée des Arts décoratifs

Installé dans le « château » Dufresne, hôtel particulier construit en 1918 pour les frères Dufresne. Le premier étage a conservé son aménagement intérieur bourgeois

de l'époque. Au rez-de-chaussée ont été aménagées des salles qui présentent la collection Liliane et David Stewart, consacrée au design depuis la Seconde Guerre mondiale. Également, exposition de mobilier contemporain.

La visite de ce musée, un peu à l'écart dans l'est de la ville, peut être couplée avec celle du jardin botanique et du stade olympique, pensez-y !

Musée Marc-Aurèle-Fortin

Ce petit musée est entièrement consacré à un artiste québécois ; les tableaux de ce peintre paysagiste (1888-1970), au style si caractéristique, sont une excellente introduction à la découverte de la nature et des villages québécois.

Les musées de Lachine

Signalons ici deux sympathiques petits musées situés dans la municipalité de Lachine, à l'extrémité ouest du canal Lachine ; ils ne manqueront pas d'intérêt pour le touriste qui veut en savoir plus sur l'histoire de Montréal et sa région. On y accède par le bus n° 110 à partir de la station de métro Angrignon.

Centre d'interprétation sur le commerce de la fourrure à Lachine : il occupe un hangar de pierre, construit en 1803, qui sert à stocker des marchandises de la Compagnie de la Baie d'Hudson. Cet intéressant musée retrace en

Université McGill

partie l'histoire de Montréal qui fut, au XVIIIe et au début du XIXe siècle, une plaque tournante du commerce des fourrures ; on y suit l'implacable concurrence entre les grandes compagnies de traite.

Le complexe muséologique de la ville de Lachine : il comprend plusieurs bâtiments anciens, dont la maison de Jacques LeBer et Charles LeMoyne qui servit de comptoir de traite à la fin du XVIIe siècle. Nombreuses expositions temporaires. Pour les amateurs, le musée possède des milliers de clichés sur le canal.

Musée du château Ramezay

Bien situé en face de l'hôtel de ville, le bâtiment fut édifié en 1705 pour Claude de Ramezay, gouverneur de Montréal de 1703 à 1724. Au rez-de-chaussée : mobilier, tableaux, gravures, estampes, costumes évoquant la vie aux XVIIIe et XIXe siècles. Au sous-sol, salles consacrées aux métiers traditionnels : filage, tissage et cuisine.

Centre d'histoire de Montréal

Aménagé dans l'ancienne caserne des pompiers, place d'Youville. Peu de documents anciens ; exposition peu exaltante qui n'a pas dû coûter cher, dommage !

Musée David M. Stewart

Situé sur l'île Sainte-Hélène dans le vieux fort, jadis arsenal fortifié, il présente l'histoire de la découverte et du peuplement de l'Amérique du Nord par les Européens. Collection d'objets ethnologiques : ustensiles de cuisine, armes à feu, instruments scientifiques et de navigation...

En été, animation historique et évocation militaire avec les évolutions des troupes française (de la Compagnie Franche de la marine) et écossaise (des Fraser's Highlanders).

Musée Redpath

Musée d'histoire naturelle, sciences naturelles et anthropologie. Le bâtiment, situé dans l'enceinte de l'université MacGill, est intéressant par son architecture intérieure, son petit amphithéâtre du rez-de-chaussée et son atmosphère un peu vieillotte. En vrac : momie égyptienne, ours empaillé, fossiles et minéraux divers, tranches de résineux plusieurs fois centenaires, etc.

Les principaux sites

Le parc du Mont-Royal

Il s'étend sur le mont Royal, cette colline qui domine Montréal à 233 mètres d'altitude. Le Mont-Royal est en fait le premier parc urbain de la ville. En 1873, après avoir acheté le terrain, la municipalité demanda son aménagement à Frederick Olmstead qui venait de concevoir les plans de Central Park à New York. Différents belvédères offrent des points de vue sur Montréal : l'un voie Camilien-Houde vers l'est, l'autre près du Chalet vers le sud.

Signalons celui situé à Westmount dans l'agréable environnement de la rue Summit-Circle. Le parc est un lieu de détente fréquenté en toute saison ; l'hiver, le lac des Castors est le grand point de ralliement : des milliers de personnes y tournent en patinant sur cette étendue gelée.

Le parc olympique

Les Montréalais se souviendront longtemps du stade olympique : plus de 15 ans après les jeux, ils continuent à en payer la facture via diverses taxes ! Construit suivant les plans de l'architecte français Taillibert, le stade est dominé par la plus haute tour inclinée du monde ; il a, de plus, la particularité de posséder un toit amovible en kevlar qui cause d'énormes frayeurs aux responsables chaque fois qu'il faut le manipuler. On accède au sommet de la tour par un ascenseur panoramique.

L'ancien vélodrome, en cours d'aménagement, accueillera un « Biodrome » présentant les différents types de végétation et de faune terrestre.

Le jardin botanique

C'est le troisième du monde après celui de Londres et Berlin. Plus de 26 000 plantes exposées dans 10 serres et 30 jardins. On prêtera plus particulièrement attention aux plantes d'Asie : 102 variétés de bonsaï provenant d'un don de collectionneur de Hong-Kong et 300 penjing offerts par le jardin botanique de Shangai ; il convient de rappeler que Montréal est jumelée avec cette dernière ville.

Le canal Lachine

Le long de ce canal mesurant 11 kilomètres, Montréal se développe industriellement au XIXe siècle. Construit entre 1821 et 1825, le canal est ensuite agrandi deux fois. L'augmentation constante du nombre et de la taille des navires entraîne l'ouverture de la voie maritime sur le Saint-Laurent en 1959. Le canal est définitivement fermé en 1970.

Jardin botanique

Aujourd'hui, il représente un des axes les plus prometteurs dans l'aménagement résidentiel de l'île de Montréal ; quelques usines qui le bordent, comme l'édifice Corticelli, ont déjà été transformées en loft. L'extrémité du canal donnant vers le port est bouchée, les écluses et les ponts tournants ne sont plus entretenus. Une piste cyclable a été aménagée sur chaque berge mais les « écolos » et sportifs qui la fréquentent savent-ils qu'ils longent l'un des lieux les plus pollués de Montréal ?... tellement pollué qu'aucune administration n'ose gratter le fond et rendre le canal au moins à la navigation de plaisance.

Signalons qu'aux alentours de l'écluse n° 3, une belle vue d'ensemble de Montréal s'offre à vous ; à ce niveau, vous ne manquerez pas de faire un détour par le marché couvert Atwater.

La basilique Notre-Dame

Achevée en 1829, elle est de style néo-gothique ; son autel monumental est l'œuvre du français Bourriché ; son orgue est l'un des plus grands et des plus puissants d'Amérique. A l'arrière, un petit musée expose des vêtements sacerdotaux et des objets d'art religieux.

La cathédrale Marie-Reine-du-Monde

La basilique-cathédrale, terminée en 1894, est la copie de celle de Saint-Pierre de Rome mais dans des dimensions plus modestes qui réduisent la superficie de sa base au quart de celle de Rome. Les statues qui ornent la corniche exté-

47

Cathédrale Notre-Dame

rieure sont celles des saints patrons de l'archidiocèse à l'époque où l'église fut construite. A l'intérieur, on trouve des reliques de la croisade que menèrent, en 1868, les 507 zouaves pontificaux québécois envoyés pour défendre le pape, assiégé dans Rome par Victor-Emmanuel, roi du Piémont.

L'oratoire Saint-Joseph

Dans le genre massif, on ne fait pas mieux ! C'est grâce à la détermination du frère André que l'on doit la construction de cette merveille commencée en 1924, achevée 40 ans plus tard et baptisée en l'honneur de saint Joseph, patron du Canada. Derrière l'édifice, un chemin de croix jalonne un sentier sur le mont Royal.

Montréal pratique

Librairies de livres anciens
4 ou 5 librairies sur la rue Amherst entre Sainte-Catherine et Ontario ; également, une excellente librairie à l'angle de la rue Henri-Julien et la rue Villeneuve.

Les brocanteurs et antiquaires
Principalement sur la rue Notre-Dame Ouest : entre la rue Guy et la rue des Seigneurs, puis plus à l'ouest entre la rue Vinet et la rue Atwater.

Quelques-uns sur Sherbrooke Ouest entre les rues Crescent et Green.

Les salles de vente aux enchères
Bien sûr l'Hôtel des Encans de Montréal : 4521, Saint-Laurent ; mais aussi les « Encans Empire » et les « Encans Paré » beaucoup plus fréquentés par les anglophones.

Artisanat québécois, inuit et amérindien
Guilde canadienne des Métiers d'Art du Québec : 2025, Peel.

Faire ses courses au marché
Les trois marchés couverts les plus sympas : le marché Atwater (métro Atwater, à deux pas du canal Lachine) ; le marché Jean Talon

(métro Jean Talon, au milieu du quartier italien) ; le faubourg Sainte-Catherine (au 1616, rue Sainte-Catherine Ouest).

Les principales fêtes et manifestations
— Course automobile de formule I : en juin.
— Festival de jazz : 1ère quinzaine de juillet.
— Festival international des films du monde : fin août.
— Marathon international : en septembre.

Où écouter du jazz
— L'Air du Temps : 191, Saint-Paul Ouest.
— Puzzles : 333, Prince-Arthur Ouest.

Écouter la radio
Vous aimez :
— le rock : C.H.O.M. 97.7 FM (la meilleure de toutes, radio anglophone).
— le classique : C.B.F. 100.7 FM.
Vous souhaitez découvrir :
— la radio d'État : C.B.F. 690 AM (Radio Canada).
— une radio communautaire multiethnique : Radio Centre-Ville 102.3 FM.

Regarder la télévision
Vous êtes branché sur le câble, voici les principales chaînes et leur numéro correspondant : Radio Canada : 4 ; Radio Québec : 8 ; TV 5 : 15 ; C.B.S. : 3.

Festival de jazz

Informations touristiques : Centre Infotouriste, 1001, rue du square Dorchester.

Quelques restaurants
Beauty's : 93, Mont-Royal Ouest ; le dimanche, on y fait la queue pour le brunch.

L'Express : 3927, Saint-Denis, le tout Montréal de l'audiovisuel sur un plateau !

Ty Breiz : 933, Rachel ; des crêpes comme en Bretagne.

La Moulerie : 1249, Bernard Ouest.

La rôtisserie Laurier : 381, rue Laurier Ouest ; le meilleur poulet barbecue en ville.

Le Lux : 5220, Saint-Laurent ; on y mange, on y lit, on s'y montre ; ouvert toute la nuit.

Le Café Lime Light : 1455, Pierce ; sans prétention, cuisine familiale ; adresse à garder pour soi.

Chez Yoyo : 4720, Marquette ; restaurant français où on amène son vin.

Le restaurant du magasin Eaton au 677, Ste-Catherine Ouest, au 9e étage, décor Art déco à voir.

Le Mitoyen : 652, place publique, Sainte-Dorothée, Laval. Bien sûr, c'est en banlieue et ce n'est pas donné... mais c'est tellement bon !

Les salons de thé et cafés

On y déguste de bonnes pâtisseries, mais on y trouve aussi des sandwichs ou un plat du jour suivant les lieux.

La Brioche lyonnaise : 1593, Saint-Denis.

L'Intrigant : 1261, Bernard Ouest.

La Brûlerie Saint-Denis : 3967, Saint-Denis.

La Petite Ardoise : 222, Laurier Ouest.

Sainte-Agathe

Les excursions
autour de l'île de Montréal

BIEN entendu, vous ne pouvez pas quitter Montréal sans visiter quelques sites autour de la ville. Nous les avons classés par régions.

Vers le sud

Le parc historique
de la Bataille
de Chateauguay

A 55 kilomètres de Montréal, par la route 138 à partir du pont Mercier.

Dans le petit village d'*Allan's Corners*, on visite un centre consacré à la bataille de Chateauguay. En 1813, les Américains en guerre contre l'Angleterre envahissent la colonie anglaise du Haut-Canada, s'emparent de Toronto puis se dirigent vers Montréal. Ils sont repoussés ici, par les troupes canadiennes commandées par C. de Salaberry.

Le musée ferroviaire canadien de Saint-Constant

On y accède par la route 132 Est à partir du pont Mercier. Des locomotives à vapeur comme dans les westerns, des locos diesel, des tramways... la plus importante collection de matériel ferroviaire en Amérique du Nord !

Kahnawake

Sur la rive sud du Saint-Laurent, légèrement en amont du pont Mercier.

C'est l'une des trois réserves Mohawk du Québec. Elle compte environ 5 600 habitants, dont l'activité principale est la construction de bâtiments en hauteur ; ils sont très recherchés pour leur agilité à évoluer sur des poutrelles au cinquantième étage d'un building !

Avant l'arrivée des Européens, les Mohawks formaient, avec les Oneidas, les Onondagas, les Cayngas et les Sénécas, la Ligue iroquoise des Cinq-Nations, à laquelle se heurtèrent plus tard les Français. Après le traité de paix de 1701, un groupe de Mohawks catholiques s'installa en 1717 autour de la mission Saint-François-Xavier, tenue encore aujourd'hui par les jésuites. Dans la réserve, on visite le musée de la mission et on achète, en anglais, des articles d'artisanat et des cigarettes de contrebande.

Le parc archéologique de Pointe-du-Buisson

Situé dans la municipalité de *Mélocheville* ; accès par le pont Mercier, la route 132 Ouest. Depuis 1977, l'université de Montréal effectue chaque année des fouilles sur ce site, qui fut habité il y a plus de 5 000 ans.

On découvre à travers les expositions présentées le mode de vie des Amérindiens ; le parc est traversé de sentiers de la nature, qui permettent de se familiariser avec la faune et la flore des environs.

Vers le sud-ouest

Le site historique de la Pointe-du-Moulin

A l'extrémité est de l'île Perrot ; accès par la route 20 Ouest.

Dans cet agréable parc, le moulin à vent et la maison du meunier ont été restaurés ; ces bâtiments datent du début des XVIIIe siècle.

Le parc historique du Coteau-du-Lac

A 63 kilomètres de Montréal par la route 20 Ouest.

Sur le bord du Saint-Laurent, en amont de Montréal, ce site occupait une position stratégique aux XVIIIe et XIXe siècles ; il fut utilisé par les Anglais pour défendre leurs approvisionnements militaires destinés aux Grands Lacs, comme en témoigne le blockhaus octogonal en bois.

A cause des rapides qui gênent la navigation, les Français en 1750,

La mise en valeur de cette région remonte aux années 1850 et fut lancée par le curé « défricheur » Labelle qui voulut freiner, à l'époque, l'émigration québécoise vers les États-Unis. Aujourd'hui, les Laurentides ont acquis une solide réputation touristique et sont devenues le troisième parc hôtelier de la province. De Montréal, on y accède par l'autoroute 15 baptisée d'ailleurs autoroute des Laurentides, ou bien par la route 17. Saint-Sauveur-des-Monts, Mont-Rolland, Sainte-Adèle, Val-Morin, Ste-Agathe-des-Monts, Saint-Jovite, Mont-Tremblant sont les grandes étapes sur la route du « Nord » qui mène à Mont-Laurier à 230 kilomètres de Montréal.

puis les Anglais en 1780, creusèrent un canal dont on remarque certains vestiges.

Vers le nord-ouest

Les Laurentides

« Je monte dans les Laurentides », « Je viens de passer 3 jours dans les Laurentides » : ces phrases, vous aurez toutes chances de les entendre dans la bouche d'un Montréalais. En effet, si les « Laurentides » désignent l'alignement rocheux qui marque la bordure du bouclier canadien sur la rive nord du Saint-Laurent, elles sont devenues l'appellation plus restrictive d'une région de villégiature et de sports d'hiver au nord-ouest de la métropole.

En été, vous pourrez y pratiquer du rafting sur la rivière Rouge ; de la plongée sous-marine dans les nombreux lacs de la région : lac Tremblant, lac Labelle, lac des Écorces, lac du Cerf, etc. ; du deltaplane au mont Rolland ; de l'escalade à Grenville, Mont-Tremblant et à Sainte-Adèle.

En hiver, la région est le paradis :
— du ski alpin : plus d'une vingtaine de stations, dont certaines sont à moins d'une heure de Montréal ;
— du ski de fond et de la raquette : plus de 1 000 kilomètres de piste balisée ;
— de la motoneige : location de matériel à Mont-Laurier, Saint-Adolphe-d'Howard et Sainte-Agathe-des-Monts ;

— du traîneau à chiens : location d'attelage à Val-David.

La région d'Oka

Sans pénétrer à l'intérieur des Laurentides, une autre excursion s'offre à vous avec celle de la région d'Oka en bordure du lac des Deux-Montagnes. La route 344 traverse le parc Paul-Sauvé, passe devant l'abbaye cistercienne d'Oka, célèbre pour ses produits fromagers. A Oka, le contraste entre la ville et la petite réserve Mohawk de *Kanesatake*, située en banlieue, est particulièrement instructif.

Vers le nord

L'île des Moulins à Terrebonne

Ce n'est pas loin de Montréal, au milieu de la rivière des Mille Iles ; c'est aussi très sympa, bien restauré et l'on y apprend plein de choses sur l'histoire de la région. Il s'agit de plusieurs bâtiments restaurés — le moulin à farine, la boulangerie, le bureau du seigneur, le moulin à scie — qui, au XIXe siècle, concentrèrent sur l'île des Moulins toute l'activité industrielle de la ville de *Terrebonne*.

La région de Lanaudière

Après l'île de Montréal, on emprunte la route 138 jusqu'à *Berthierville* ; elle longe la rive gauche du Saint-Laurent et traverse les villages de *Lavaltrie* et *Lanoraie*. Sur le chemin, quelques « marchés aux puces », brocanteurs et antiquaires.

A Berthierville, la petite chapelle Cuthbert mérite un arrêt : c'est le premier temple presbytérien construit au Québec en 1786. Les rues qui bordent le fleuve sont assez jolies ; une navette fluviale assure la traversée des voitures vers la ville de *Sorel*.

La vallée du Richelieu

ON loin de Montréal, à une demi-heure de route à l'est, la vallée de la rivière Richelieu s'étend sur 135 km de la frontière canado-américaine au sud, jusqu'à son embouchure dans le fleuve Saint-Laurent au nord.

Longer le Richelieu permet non seulement de découvrir une région agricole qui a gardé encore aujourd'hui un certain cachet, mais aussi d'aller à la rencontre de l'histoire québécoise. Vous suivrez ainsi les traces des Algonquins, des Iroquois, des armées françaises, anglaises, américaines qui tentèrent de contrôler cette rivière remontée par Champlain en 1603. Le Richelieu fait partie, en effet, d'un réseau fluvial qui, avec l'Hudson aux États-Unis, met directement la région de Montréal en communication avec celle de New York et l'Atlantique.

Il y a 150 ans à peine, la vallée du Bas-Richelieu fut aussi le théâtre de l'une des plus belles pages d'histoire du Bas-Canada :

la rébellion des Canadiens français, regroupés au sein du mouvement des Patriotes, qui tentèrent de s'affranchir de la domination anglaise et du joug de l'Église.

Si la vallée du Richelieu compte assez peu d'hôtels, elle offre en revanche quelques-unes des meilleures tables du Québec. Faire le tour complet de la vallée représente une excursion de deux jours. Compte tenu de la proximité de Montréal, celle-ci peut être fractionnée en plusieurs excursions. De Montréal, les voies d'accès au Richelieu sont nombreuses. On atteint l'embouchure de la rivière et les îles de Sorel en empruntant les routes 40 ou 138 qui longent la rive nord du Saint-Laurent, puis le traversier qui assure la liaison entre *Saint-Ignace-de-Loyola* et *Sorel*. Le cours moyen du Richelieu est très rapidement accessible par la route 10 vers *Chambly* ou la route 20 vers *Belœil*. On rejoint aussi le haut Richelieu et la région de Lacolle en empruntant la route 15 en direction de la frontière, puis la route 221.

L'embouchure du Richelieu : Sorel et ses îles

H *Auberge de la Rive*, chemin Sainte-Anne à Sorel/*Motel des Patriotes*, chemin Saint-Ours à Saint-Pierre-de-Sorel.

▲ dans les villages de Sainte-Anne-de-Sorel, *Tracy* et *Saint-Ours*.

⚑ Festival de la gibelotte de Sorel pendant la première quinzaine de juillet.

E Croisière des îles de Sorel : embarquement au 1665, chemin du chenal du Moine, à Sainte-Anne-de-Sorel.

Ŀ à Tracy et Saint-Ours.

Sorel est une petite ville industrielle de 20 000 habitants dont l'activité tourne autour de la métallurgie et de la construction navale. Au centre-ville, on ne peut manquer le Carré royal — petit parc datant de 1783, dont le tracé reprend le dessin du drapeau anglais — et le marché couvert à l'architecture traditionnelle. Vers le sud, sur le chemin Saint-Ours, on remarque sur la droite une modeste bâtisse blanche d'un étage, flanquée de deux canons en façade : c'est l'ancienne Maison des gouverneurs, construite en 1781, qui servit surtout de résidence d'été aux gouverneurs anglais du Canada jusqu'en 1866. Dans cette maison, le 25 décembre 1781, le général von Riedesel — commandant les troupes mercenaires allemandes — introduisit pour la première fois au Canada la pratique du sapin de Noël illuminé.

Les îles de Sorel — une cinquantaine, situées légèrement en aval sur

Saint-Denis

le Saint-Laurent — sont le principal attrait touristique de la région. Pour découvrir leur paysage sauvage, rien ne vaut une croisière. Afin de se rendre en voiture à l'embarcadère, on aura plaisir à longer le Saint-Laurent jusqu'à Sainte-Anne-de-Sorel puis à prendre le chemin du chenal du Moine, qui borde sur quelques kilomètres le chenal séparant l'île du Moine de la rive. Cette île sert depuis des siècles de pâturage commun aux agriculteurs du coin qui y conduisent leurs bêtes pour l'été. En poursuivant vers l'est, le chemin passe devant l'île Létourneau et l'île aux Fantômes. Au n° 3139, on visite le petit musée de l'écriture et la maison de Germaine Guévremont qui écrivit un roman célèbre au Québec — *Le Survenant* — dont l'intrigue se déroule près du chenal. Le chemin se termine en cul-de-sac dans l'île d'Embarras où se dressent de nombreuses maisons sur pilotis ; certains jardins décorés par quelques « patenteux » attirent également l'attention. Deux gargotes, l'une située avant le pont qui mène à l'île d'Embarras, l'autre à l'extrémité du chemin sur l'île, servent de la gibelotte, spécialité régionale à base de poisson.

De Saint-Denis à Chambly

H Le manoir *Rouville-Campbell* et de nombreux motels dans le village de Mont-Saint-Hilaire/*Auberge Handfield* et *Hostellerie les Trois Tilleuls* à Saint-Marc/Gîte du passant à Saint-Antoine et à Saint-Denis.

à Saint-Ours, Saint-Mathias et Saint-Marc.

Auberge Handfield/*Hostellerie les Trois Tilleuls*/*Manoir Rouville-Campbell*.

E Croisière sur le Richelieu au départ du village Saint-Charles.

Manège à Saint-Charles et Saint-Marc.

à Saint-Ours.

Cette région typique a hérité d'une solide tradition rurale, catholique et française. Elle connut depuis l'époque où elle fut concédée en seigneuries, au XVIIᵉ siècle, un développement basé sur l'agriculture et l'élevage. Les terres cultivées s'allongent en bandes perpendiculaires aux rives ; les fermes sont régulièrement espacées le long de la rivière ; les villages reliés par un bac se font face sur chaque rive.

Saint-Denis

La route 133 qui longe la rive droite du Richelieu a été baptisée « Chemin des Patriotes » en souvenir des événements de 1837 qui se déroulèrent dans les villages de *Saint-Ours, Saint-Denis* et *Saint-Charles*. Cette révolte, vous la suivrez à Saint-Denis dans l'ancienne maison Masse transformée en Maison nationale des patriotes. On y apprend le peu de cas que faisait le gouverneur anglais des plaintes réitérées adressées par la Chambre d'assemblée du Bas-Canada, seule assemblée politique élue et composée en majorité de Canadiens français.

On suit la dégradation de la situation agricole, avec la baisse de la productivité et l'augmentation de la pression démographique : celle-ci explique l'implication particulière de la région contre la mainmise anglaise sur l'économie. C'est ainsi que, finalement, de réunions en assemblées regroupant plusieurs milliers de personnes, les « Patriotes » s'organisent et tentent de résister aux troupes anglaises venues les disperser. 25 novembre 1837 : victoire des Patriotes à Saint-Denis ; 27 novembre : défaite des Patriotes à Saint-Charles. Les deux villages ne se remettront jamais des saccages commis par l'armée anglaise.

A Saint-Denis, quelques maisons bâties dans la première moitié du XIXᵉ siècle attirent l'attention ; l'église, édifiée en 1792 et restaurée en 1922, renferme quelques toiles de grands maîtres québécois.

Mont-Saint-Hilaire

Plus au sud, la route 133 traverse le village de Mont-Saint-Hilaire au pied de la colline du même nom. On remarque le manoir Rouville-Campbell, aujourd'hui transformé en hôtel. La famille Hertel, détentrice des droits sur la seigneurie de Rouville, fit construire en 1819 ce bâtiment qu'elle vendit en 1844 au major Campbell ; ce dernier agrandit le manoir et le transforma suivant le style Tudor propre à certains châteaux d'Écosse.

Saint-Mathias

Une dizaine de kilomètres plus loin, l'église de Saint-Mathias mérite qu'on s'y arrête pour faire le tour de l'enclos paroissial. Un mur élevé en 1818 ceinture l'église et le cimetière ; à ses deux extrémités, en façade, s'élèvent deux petits hangars servant à conserver les cadavres que l'on ne peut enterrer pendant l'hiver.

La rive gauche

Sur la rive gauche du Richelieu, la route 223 traverse Saint-Basile-le-Grand, Mac Masterville, Belœil, Saint-Marc et Saint-Antoine. Elle est particulièrement intéressante à suivre car elle permet d'admirer quelques remarquables maisons davantage mises en valeur que sur l'autre rive. A cet égard, un circuit dans la vallée permet de se faire une meilleure idée des différents types de maisons québécoises et des influences étrangères sur l'architecture locale.

La maison typiquement française, de petite dimension et au toit pentu, à disparu de la vallée. La région compte encore beaucoup de maisons de style québécois, mieux adaptées au climat et construites au XIXe siècle ; elles se caractérisent par un toit à pente douce terminé en larmier, une galerie, une cuisine accolée au bâtiment principal, des ouvertures nombreuses équipées de doubles portes et de doubles fenêtres. La colonisation anglaise de son côté a légué la maison de style victorien, marquée par des tourelles et des pignons, une ornementation plus riche et la multiplication des volumes superposés.

L'influence américaine se fera également sentir avec l'installation des loyalistes fuyant la révolution américaine. Ils introduisent un style

de construction marqué par un toit brisé à 2 ou 4 versants. Le sud de la vallée accueillit après 1770 des réfugiés hollandais de l'État de New York ; c'est ainsi que l'on retrouve encore quelques maisons d'inspiration hollandaise au toit à 45° ; avec des portes et des fenêtres à petits carreaux.

Chambly

H Motel *Mon repos* à Chambly/motel *Richelieu* à Richelieu.

E Croisière sur la rivière Richelieu au départ du quai de l'écluse n° 1 du canal de Chambly.

C'est en 1665 que Jacques de Chambly, capitaine du régiment de Carignan-Salières, est envoyé pour établir un fort de bois au pied des rapides de la rivière des Iroquois — l'ancienne appellation du Richelieu. La présence de ces rapides allait ainsi induire le développement militaire et économique du site. En 1709, le fort de Chambly est reconstruit en pierre et intégré à une chaîne de fortifications établies le long du Richelieu et sur le lac Champlain pour défendre la Nouvelle-France. Bien que de construction solide, il n'aura jamais l'occasion d'opposer de résistance opiniâtre : en 1760, les Français qui l'occupent se rendent aux Anglais ! En 1775, les Anglais qui l'occupent se rendent aux Américains ! A l'époque de la guerre anglo-américaine de 1812-1814, le fort de Chambly devient le centre d'un important complexe militaire abritant plusieurs milliers d'hommes.

Admirablement situé en bordure des rapides du Richelieu, le fort a été très bien restauré et c'est un plaisir de le visiter. Une exposition permanente resitue son existence dans le contexte du régime français. Au premier étage, la vie militaire est décrite dans ses moindres détails, y compris les problèmes sanitaires liés aux poux et autres parasites !

Plus en amont, sur la rue Richelieu qui longe la rivière, se dresse le corps de garde tel qu'il était en 1849 ; un peu plus loin on trouve des bâtiments d'époque qui servirent au logement de la troupe.

Le haut Richelieu

H Nombreux motels à Saint-Jean sur Richelieu et à Saint-Bernard-de-Lacolle/Gîte du passant à Saint-Bernard-de-Lacolle.

A Terrains à Saint-Jean sur Richelieu/Saint-Luc/Lacolle/Noyan/Venise-en-Québec.

X *Auberge la ferme du trou normand* a Saint-Bernard-de-Lacolle.

E Croisière sur le Richelieu, départ de la place du quai à Saint-Jean sur Richelieu. Croisière autour de l'île aux Noix, départ du quai fédéral à Saint-Paul de l'île aux Noix. Parc safari d'Hemmingford, à une quinzaine de kilomètres de Lacolle sur la route 202.

Festival de montgolfières du haut Richelieu, la deuxième quinzaine d'août à Saint-Jean sur Richelieu.

L à Saint-Luc.

Manège à l'Acadie et à Iberville.

Cette région présente une intéres-

sante diversité de peuplement. Très peu colonisée à l'époque française, elle ne connut de véritable essor démographique qu'à la fin du XVIIIe siècle. Après 1768, de nombreux Acadiens de retour de déportation en Nouvelle-Angleterre s'établissent le long de la petite rivière Acadie. Pendant la guerre d'indépendance américaine, des colons loyalistes envers l'Angleterre traversent la frontière et s'installent dans la région. Pareillement, de nombreux mercenaires allemands engagés par l'Angleterre se font démobiliser sur place.

Ce n'est que bien plus tard, au XIXe siècle, que les Canadiens français, à cause de la surpopulation qui se fait sentir dans le bas Richelieu, commencent à investir le haut de la vallée.

Saint-Jean sur Richelieu

Situé en amont des rapides du Richelieu, Saint-Jean fut de tout temps une ville de commerce, au centre des communications fluviales avec les États-Unis et terrestres avec la région de Montréal. De par sa situation, le site fut naturellement défendu par un fort à l'époque des Français, puis des Anglais. Avec l'ouverture en 1843 du canal à neuf écluses doublant les rapides entre Saint-Jean et Chambly, la ville prit de l'importance.

Dix ans plus tard, l'établissement d'une liaison ferroviaire directe entre Montréal et les États-Unis allait ralentir son expansion. Au siècle dernier, la ville fut très réputée pour ses poteries.

A Saint-Jean, on visite le petit musée régional du haut Richelieu situé place du marché en plein centre-ville ; y sont exposées : des maquettes de bateaux construits sur les chantiers de la région, des machines à coudre produites à l'usine Singer, et bien entendu des poteries et de la vaisselle. Signalons le musée du fort Saint-Jean installé dans l'ancien corps de garde du collège militaire royal.

Saint-Paul de l'île aux Noix

A une dizaine de kilomètres au sud de Saint-Jean, ce village est connu pour son parc historique national du fort Lennox situé sur l'île aux Noix. En se rendant à l'embarcadère pour prendre le traversier qui mène dans l'île, on prendra plaisir à découvrir la marina et les petits chantiers navals sur le bord du Richelieu.

Le fort Lennox que l'on visite présente aujourd'hui un grand intérêt car il a encore conservé tous ses bâtiments datant de son dernier réaménagement en 1829 : poudrière, corps de garde, caserne, arsenal et entrepôt. Ces bâtiments disposés en carré sont protégés par des remparts de terre et un fossé rempli d'eau.

Le site accueillant de l'île aux Noix eut toujours une vocation militaire sous les Français comme sous les Anglais. Après la guerre de 1812-1814, ces derniers décidèrent de

En marge de la vallée du Richelieu, à l'est, s'offre à vous une excursion au pays de la pomme. La région qui s'étend entre les monts Saint-Hilaire, Rougemont et Yamaska est réputée pour la pomiculture.

A partir du mont Saint-Hilaire, le circuit des vergers traverse les villages de Saint-Jean-Baptiste-de-Rouville, Rougemont et Saint-Paul-d'Abbotsford.

A *Rougemont*, on visite le centre d'« interprétation de la pomme et la cidrerie.

consolider le fort en lui donnant la configuration qu'il a conservée de nos jours.

Lacolle : son blockhaus et sa gare

Le village de Lacolle est la dernière étape dans la vallée du Richelieu en ce qui concerne les bâtiments à vocation militaire : sur la route 223, juste avant d'enjamber la petite rivière Lacolle, se dresse à droite un petit blockhaus de bois.

Construit avant 1812, ce blockhaus est un petit bâtiment carré de deux étages, dont le second forme saillie ; ses fondations sont en pierre ; la toiture pyramidale est en bois. Ses murs sont percés de meurtrières et d'embrasures pour les canons ; l'assemblage des angles de murs est à mi-bois. Ce blockhaus accueille un petit centre d'information touristique.

A trois kilomètres de là, un peu à l'écart du village de Lacolle, la gare du Canadien Pacifique mérite un petit détour ; elle fut bâtie en 1930 dans le même style « château » pseudo-gothique que la gare Windsor à Montréal — un style propre aux gares de la compagnie.

Il convient de former des vœux pour que cette gare, qui ne reçoit plus de voyageurs, ne soit pas démolie !

*Dégustation
de la tire d'érable*

Château Frontenac

Québec

É TONNANTE ville que Québec avec ses ramparts, ses rues étroites, ses vieilles maisons qui rappellent la Normandie et la Bretagne. Étonnante surtout en Amérique du Nord où cette capitale provinciale demeure l'une des seules villes fortifiées du continent, mais surtout un témoignage unique de la colonisation à l'époque de la Nouvelle-France. Sa situation géographique sur le cap Diamand, à l'endroit où le fleuve Saint-Laurent se rétrécit — comme le signifie son nom en amérindien —, allait faire de Québec une ville stratégique de choix pour qui voulait contrôler le Canada.

H Un bon conseil : à cause de l'affluence pendant la période du carnaval ou du festival d'été, il est vivement conseillé de réserver sa chambre avant d'arriver à Québec. On trouvera de nombreux hôtels pour tous les goûts et toutes les bourses dans la vieille ville, principalement : rues Laporte, Saint-Louis, Sainte-Ursule, Sainte-Geneviève, Sainte-Anne et Auteuil ; sur Grande Allée également. Pour les étudiants et les moins fortunés, deux auberges de jeunesse : *Auberge de la Paix,* rue Couillard, et le *Centre international de séjour de Québec,* rue Sainte-Ursule. Possibilité d'hébergement sur le campus de l'université Laval, mais c'est loin du centre-ville ! Signalons l'existence de gîtes du passant, un à

63

Québec, plusieurs en banlieue à Cap Rouge, Sainte-Foy, Ancienne Lorette et Charlesbourg.

🏴 Le carnaval d'hiver se tient au début de février et dure 10 jours : défilé, sculptures sur neige, course en canots sur le Saint-Laurent charriant des blocs de glace.
Le festival d'été, au début du mois de juillet : une manifestation importante qui réunit des artistes de pays francophones.

👁 On portera un autre regard sur la ville et on appréciera le panorama :
de l'hôtel *Le Concorde* dont le dernier étage est un restaurant tournant ; à noter : on y accède par un ascenseur extérieur panoramique ;
du dernier étage du complexe administratif G, où sont organisées des expositions d'œuvres québécoises ;
de la navette fluviale qui assure, en 15 minutes, la traversée entre Québec et Lévis.

ℹ Pour obtenir tout renseignement touristique sur :
la ville de Québec et sa région : Centre d'information de l'office du tourisme et des congrès de la communauté urbaine de Québec, 60, rue d'Auteuil ;
la ville de Québec, sa région mais aussi le reste de la province : Maison du tourisme de Québec (ministère du Tourisme), 12, rue Sainte-Anne.

🐾 Quelques promenades bien sympathiques :
le long de la promenade des gouverneurs qui mène du parc des Champs de Batailles à la terrasse Dufferin en passant au pied de la Citadelle ;
le long de la rue Saint-Denis ;
la rue des remparts, particulièrement entre la rue Hamel et la rue Sainte-Monique.

🎀 Prendre un verre, dîner au restaurant, écouter de la musique ; l'animation nocturne on la trouve rue Saint-Jean, intra-muros, ou bien hors les murs sur :
Grande Allée, entre les rues d'Artigny et Berthelot ;
avenue Cartier qui coupe Grande Allée ;
nombreux cafés branchés comme le café « Krieghoff ».

Québec d'hier

Si Jacques Cartier repère en 1535, à proximité du village iroquois de Stadacona, le futur site de la ville, c'est Samuel de Champlain qui, 80 ans plus tard en 1608, fonde le premier comptoir permanent de Québec pour le commerce de la fourrure. Sur la falaise, à l'extrémité est de ce qui est aujourd'hui la terrasse Dufferin, il fait construire puis agrandir le fort Saint-Louis.

Pendant le XVIIe siècle, Québec se développe sur deux paliers géographiques ; la basse-ville, le long de la falaise, s'enrichit de bâtiments industriels : brasserie, tannerie, ateliers de confection de chaussures et de chapeaux ; la haute-ville, autour du fort, voit s'édifier des constructions religieuses qui existent encore aujourd'hui : l'hôpital de l'Hôtel-Dieu, le couvent des Ursulines, le séminaire, la cathédrale. A la fin du siècle, la ville compte environ 2 000 habitants.

Québec va naturellement subir les épreuves militaires : en 1629, elle se rend à une flotille anglaise commandée par l'amiral Kirke ; en 1690, elle connaît un début de siège par l'Anglais Phipps ; une autre tentative échoue en 1711 à cause d'une tempête. Chacun de ces épisodes a poussé la ville à développer son système défensif : construction en 1691 de la Batterie royale, en 1712 de la redoute Dauphine, en 1720 de murs à peu près parallèles aux remparts d'aujourd'hui.

A la fin des années 1750, la guerre de Sept Ans fait rage en Europe. L'Angleterre envoie un corps expéditionnaire imposant vers Québec : 49 vaisseaux avec 2 000 canons et

Les tours de l'église dominent le charmant village de Saint-Denis-sur-Richelieu.

Le port de Montréal et le centre financier.

Québec la nuit, sous la neige.

La statue de Champlain.

Un château de glace pendant le carnaval de Québec.

Toujours très animée, la rue du Petit-Champlain à Québec.

L'oratoire Saint-Joseph, à Montréal, dédié au patron du Canada.

Haute de 83 m, la chute de Montmorency, à l'est de Québec.

◀ Canotage dans les Laure...

Paysage typique de Gaspé...

Un village sous la neige.

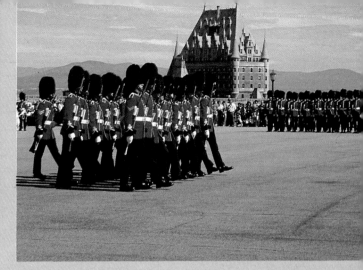

La traditionnelle relève de la garde.

Les joies de l'hiver à Québec.

La basilique de Marie-Reine-du-Monde à Montréal.

◄ Fanfare pendant
le festival d'été
à Québec.

Le stade olympique de Montréal et sa célèbre tour inclinée.

Les Laurentides en automne.

Le raid "Harricana". ►

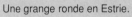

Une grange ronde en Estrie.

Les impressionnantes falaises de la Roche Percée.

Croisière dans les hautes gorges de la rivière Malbaie

Un petit port en Gaspésie.

9 000 hommes de troupes commandés par le général Wolfe. Du côté français, le marquis de Montcalm aligne 12 000 hommes. Le siège de Québec débute le 26 juin 1759 et se termine le 13 septembre par la bataille des plaines d'Abraham qui tourne à l'avantage des Anglais. Cette défaite marque un point final à la présence de la France au Canada.

Sous le régime anglais, Québec va se reconstruire dans le même style architectural et les Anglais vont remplacer les marchands français de la basse-ville. En 1775, elle est de nouveau l'objet d'un siège militaire infructueux, mais cette fois par les troupes américaines. Pendant la guerre anglo-américaine de 1812, la citadelle est édifiée puis, bien après, les remparts actuels.

Québec, capitale du Bas-Canada, connaît pendant la première moitié du XIXe siècle une importante expansion économique due au blocus continental établi par Napoléon contre l'Angleterre. La ville devient le plus grand port de commerce de bois vers l'Angleterre et les chantiers navals y fleurissent. Pendant cette période, la population anglophone s'accroît : les Irlandais qui travaillent comme débardeurs constituent 23 % de la population, les Anglais et les Écossais 16 %.

Le remplacement du bois par l'acier dans la construction navale, le développement des machines à vapeur et le dragage du chenal du Saint-Laurent permettant aux gros

Parc Cartier-Brébœuf

navires d'atteindre Montréal, vont entraîner le lent déclin économique de Québec à la fin du XIXe siècle. Avec l'instauration de la confédération en 1867 et l'établissement de la capitale fédérale à Ottawa, Québec perd de son importance politique.

Québec aujourd'hui

Avec 160 000 habitants pour la ville proprement dite et 580 000 pour l'agglomération Québec, francophone à 97 %, est avant tout une ville de cols blancs : 85 % de la population active travaillent dans le secteur tertiaire. C'est aussi la capitale provinciale : le pouvoir politique y est concentré et 40 000 fonctionnaires y gravitent. Fière de son statut jusqu'à la suffisance, elle n'a pas l'importance économique de Montréal car elle est trop éloignée des marchés canadiens.

L'atmosphère de Québec, ville bourgeoise, n'est pas sans rappeler celle d'une petite ville de province repliée sur elle-même, où tout se sait et où la vie de tous les jours s'articule autour de luttes entre cliques.

L'épanouissement futur de la ville réside peut-être dans les quelques 2 000 chercheurs scientifiques qui semblent ouvrir la région à des industries de pointe orientées vers l'optique, les lasers, l'informatique, les biotechnologies et les matières plastiques.

Québec, une ville à visiter

Québec se visite très facilement à pied. La vieille ville, que ce soit la haute ou la basse-ville, a une dimension humaine ; elle offre d'admirables points de vue sur le fleuve Saint-Laurent et possède d'intéressants musées.

La « vieille » haute-ville

L'hôtel « Château Frontenac »

Il est, sans doute, le meilleur point de départ pour se lancer à la découverte de la haute-ville. Ce bâtiment de 500 chambres au toit de cuivre oxydé et aux allures de château trône au centre de toutes les photos de Québec prises du fleuve ou des quais ; il fut construit en 1893 par la compagnie de chemin de fer Canadien Pacific. Toujours en activité, l'hôtel n'est pas à visiter sinon pour y prendre un verre ou y passer la nuit ! Il donne, côté fleuve, sur la terrasse Dufferin ; cette promenade de 400 mètres offre un surprenant point de vue à 90 mètres au-dessus de la basse-ville ; à l'extrémité nord-est, l'escalier de la Terrasse et le funiculaire y descendent.

La place d'Armes

En se dirigeant vers la place d'Armes, on passe à côté de la statue de Champlain, fondateur de la ville, et d'un autre monument qui célèbre l'inscription de la ville au patrimoine mondial de l'UNESCO.

La place est un centre d'intérêt touristique important avec la maison de tourisme, le musée du Fort et la petite rue du Trésor où se concentrent les artistes peintres.

De la place d'Armes partent plusieurs rues, dont les rues Saint-Louis et Sainte-Anne.

La rue Saint-Louis

Certainement l'une des plus pittoresques de Québec, elle mène à la porte du même nom et, au-delà des remparts, se prolonge par la Grande Allée. Elle est bordée de vieilles maisons des XVIIᵉ et XVIIIᵉ siècles, comme la maison Maillou au n° 17, la maison Jacquet au n° 34 ou la maison Kent qui abrite, au n° 25, le consulat de France ; la rue compte quelques restaurants et boutiques.

Sur la droite, l'étroite rue du Parloir fait un angle droit avec la rue Donnacona qui longe le couvent des Ursulines fondé en 1639 par Mère Marie de l'Incarnation. On y visite le musée, la chapelle et le Centre Marie de l'Incarnation.

La rue Sainte-Anne et la place de l'Hôtel-de-Ville

De la place d'Armes la rue Sainte-Anne longe, dans sa partie piétonnière, la cathédrale de la Trinité, première église anglicane édifiée au Canada, puis débouche place de l'Hôtel-de-Ville. Cette place hautement touristique est dominée par la basilique Notre-Dame de Québec dont la construction remonte à 1647. A gauche de la basilique, se dresse l'imposant séminaire qui fut ouvert en 1663 par Monseigneur de Laval. En le contournant, au 6, rue de l'Université, on trouve l'entrée du musée du Séminaire dont il ne faut pas manquer la visite. De retour devant la basilique, on peut reprendre la rue Sainte-Anne qui borde la place. L'hôtel Clarendon et l'édifice Price, aujourd'hui centre municipal, attirent l'attention par leur architecture ; ce bâtiment est en effet le premier gratte-ciel de Québec construit en 1930 dans le style Art déco.

Vers les remparts, la rue Sainte-Anne traverse un quartier moins commerçant et plus calme.

La rue Saint-Jean

Partant également de la place de l'Hôtel-de-Ville, la côte de la Fabrique donne sur la rue Saint-Jean. Avec leurs nombreux restaurants et magasins, ces deux rues comptent parmi les plus animées de la ville. A deux pas, la rue Collins prolonge la côte de la Fabrique et conduit au musée des Augustines de l'Hôtel-Dieu.

Les remparts

La vieille ville en est ceinturée et l'on tombe immanquablement sur eux au cours d'une promenade. De la porte Saint-Louis, les rues d'Auteuil, Carleton, de l'Arsenal et la longue rue des Remparts permettent de les suivre sur près de 4 kilomètres. Les quatre portes de l'enceinte ne sont plus d'époque comme l'indique leur architecture ; ainsi pour la porte Saint-Louis, deux fois démolie, la dernière construction en fut commandée en 1878 par Lord Dufferin, gouverneur du Canada.

Côté ouest de la vieille ville, on visite plusieurs éléments du système défensif ; la poudrière bâtie en 1810 près de la porte Saint-Louis a été transformée en petit musée. Au nord de la porte Saint-Jean, le parc de l'Artillerie abrite la redoute Dauphine avec ses épais contreforts

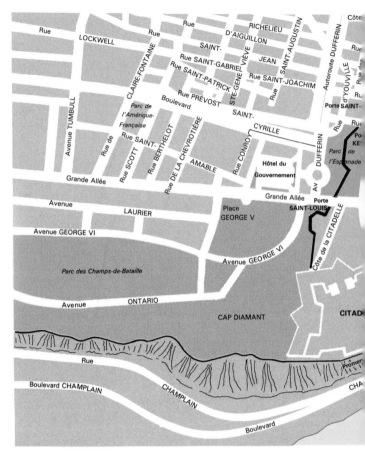

et l'ancien arsenal dont l'un des bâtiments expose le plan-relief de la ville de Québec en 1808.

La pittoresque rue des Remparts offre une belle vue sur le port ; elle borde au nord un sympathique quartier de vieilles maisons entre les rues Hamel et Sainte-Monique.

Le soir, c'est un lieu de promenade romantique à ne pas manquer, en particulier à proximité de l'ancienne maison de Montcalm.

La rue passe ensuite devant les anciens bâtiments de l'université Laval et aboutit au parc Montmorency, face à l'archevêché.

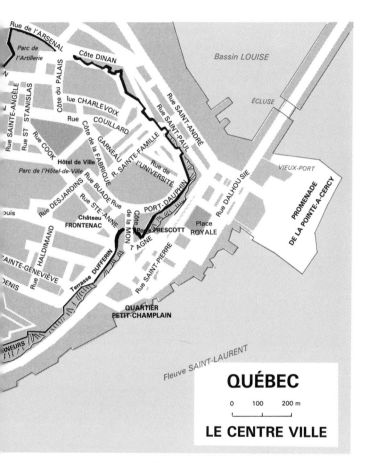

La basse-ville est la plus vieille
partie de Québec ; elle est presque
entièrement rénovée aujourd'hui.
Le quartier Petit-Champlain et la
place Royale regroupent exclusive-
ment des maisons des XVIIe et XVIIIe

La « vieille » basse-ville

On s'y rend de la terrasse Dufferin
par le funiculaire ou l'escalier Casse-
Cou, de la place d'Armes par la côte
de la Montagne. Plus au nord, la
côte Dainbourgès relie la rue des
Remparts à la rue Saint-Paul et la
rue Sous-le-Cap.

La place Royale
et la rue Petit-Champlain

La basse-ville est la plus vieille
partie de Québec ; elle est presque
entièrement rénovée aujourd'hui.
Le quartier Petit-Champlain et la
place Royale regroupent exclusive-
ment des maisons des XVIIe et XVIIIe

Musée de la Civilisation

siècles. C'est autour de cette dernière place, où trone aujourd'hui le buste du Roi-Soleil, que la vie se développa, là où Champlain établit sa résidence, en 1608. L'église Notre-Dame-des-Victoires date de 1688. Plusieurs maisons de la place sont accessibles au public, comme la maison Lambert Dumont, au n° 1, qui abrite une succursale de la Société des Alcools du Québec ; aux n° 3 et 7, les bâtisses ont été transformées en centre d'information sur la place Royale.

La rue Petit-Champlain, très touristique et commerçante, fut la rue des artisans et des ouvriers, qui travaillaient sur les chantiers navals au début du XIXᵉ siècle ; des Irlandais s'y installèrent dans les années 1825 mais, vers la fin du siècle dernier, le quartier se dépeupla pour n'abriter que des entrepôts.

Au coin des rues Saint-Pierre et Sous-le-Fort, on visite la Batterie royale, qui fut restaurée en 1977 ; cet ouvrage, construit en 1691, assurait, avec ses 10 canons, la défense du port dont les eaux, à cette époque, entouraient la batterie.

Le musée de la Civilisation et la rue Saint-Paul

En remontant la rue Dalhousie en direction du vieux port, le musée de la Civilisation occupe le quadrilatère délimité par les rues Saint-Jacques, Saint-Pierre, Saint-Antoine et Dalhousie. Intéressant par son architecture, il intègre des édifices du XVIIIᵉ siècle à une structure résolument moderne. La rue Saint-Pierre, derrière le musée, compte d'anciens édifices bancaires de la seconde moitié du XIXᵉ siècle, aujourd'hui reconvertis en bureaux et cabinets d'architectes.

Coupant la rue Saint-Pierre, la rue Saint-Paul est devenue depuis 25 ans celle des antiquaires et brocanteurs ; les prix pratiqués sont à la hauteur du nombre de touristes déambulant dans le quartier ! Egalement de nombreuses galeries et une bonne librairie spécialisée dans les livres anciens sur le Québec.

Québec hors les murs

Québec ne se réduit pas à la vieille ville. Hors les murs, la partie intéressante se trouve le long de la Grande Allée. Plus au nord dans la basse-ville, le boulevard Charest, qui commence pourtant à proximité de la vieille ville, semble avoir été complètement oublié des urbanistes et laissé pour compte, lors de la rénovation.

La citadelle

Prendre sur la gauche la côte de la citadelle juste avant de sortir par la porte Saint-Louis. Il aura fallu, à partir de 1820, plus de trente ans pour édifier cette imposante construction en étoile qui n'aura jamais connu le baptême du feu. Elle compte une vingtaine de bâtiments, dont la résidence du gouverneur général du Canada, et deux bâtiments construits à l'époque des Français ; l'un d'eux accueille le musée du 22e régiment royal composé de recrues québécoises. Avis aux photographes : la relève de la garde a lieu tous les jours à 10 h en compagnie de la mascotte du régiment, un bouc dénommé Batisse !

L'hôtel du Parlement

Revenons à la porte Saint-Louis et empruntons la Grande Allée. Sur la droite domine l'imposant hôtel du Parlement. Construit entre 1877 et 1884 dans le style Renaissance, il abrite l'Assemblée nationale du Québec et le gouvernement. Au-dessus de l'entrée principale est gravée la phrase « Je me souviens » de l'architecte du bâtiment Eugène Taché — phrase qui est devenue la devise de la province. Pendant les sessions, le public a la possibilité d'assister aux débats réunissant les 125 députés dans le grand salon bleu, et au travail des commissions parlementaires dans le salon rouge.

Derrière le Parlement mais aussi de l'autre côté de la Grande Allée se dressent trois des principaux bâtiments administratifs gouvernementaux : le complexe G, le plus haut de Québec avec ses 31 étages, et les complexes H et J.
Place George-V, le manège militaire abrite un petit musée.

Le parc des Champs de Batailles

Plus loin, sur la droite, entre la Grande Allée et le bord du promontoire, s'étend le parc des Champs de Batailles, certainement le plus

Hôtel du Parlement

agréable de la ville. C'est là qu'eut lieu, en 1759, la bataille décisive des Plaines d'Abraham, qui ne dura qu'une vingtaine de minutes et scella le sort de la présence française en Amérique du Nord !

Le parc renferme de nombreuses plaques commémoratives et des témoignages du passé, comme ces deux tours « Martello », édifices défensifs construits entre 1802 et 1810. Au cœur du parc est situé le musée du Québec, dont le projet d'agrandissement comprend l'annexion de l'ancienne prison bâtie derrière.

Les musées

Parmi la dizaine de musées que compte la ville de Québec, voici ceux à visiter en priorité :

Musée des Ursulines : entre 1639 et 1759, les Ursulines se consacrèrent à l'éducation des jeunes filles et des Amérindiennes, autrement dit à leur apprendre à coudre et à broder. Très belle collection de broderies à thèmes religieux ; quelques ceintures fléchées indiennes ; au rez-de-chaussée : le crâne de Montcalm, qui fut tué au cours de la bataille des plaines d'Abraham.

Musée des Augustines de l'Hôtel-Dieu : compte tenu de la vocation de cet ordre à soigner les malades, on ne s'étonnera pas de l'impressionnante collection d'instruments médicaux. Egalement, grand nombre de meubles d'origine canadienne, de tableaux de peintres de la Nouvelle-France et du Bas-Canada.

72

Musée du Séminaire : à caractère général, réputé pour ses collections d'art québécois, oriental — ses gravures européennes et canadiennes, ses instruments scientifiques et ses médailles.

Musée du Québec : consacré en majeure partie à l'art québécois traditionnel et contemporain : peintures, sculptures, dessins, estampes et pièces d'orfèvrerie. Le musée a une annexe située près de la place Royale — maisons Amyot et Langlois au 24, boulevard Champlain ; y sont surtout organisées des expositions d'art contemporain.

Musée de la Civilisation : intéressant par sa conception architecturale. Il gère aussi les activités de la Maison Chevalier — au 60, boulevard Champlain ; elle présente des expositions à caractère ethnologique.

Centre d'initiation à l'histoire de la ville de Québec : situé dans les « Voûtes du Palais », autrement dit dans les caves de l'ancienne résidence des intendants français. Exposition à vocation historique.

Les excursions à partir de Québec

La chute Montmorency

A quelques kilomètres à l'est de Québec, en bordure de la route 138.

Les chutes de Montmorency

La chute Montmorency, haute de 83 mètres, est plus élevée que celle du Niagara mais moins large. Elle est surtout impressionnante en hiver, quand le brouillard qui s'en dégage forme, en gelant, un immense cône de glace au sol.

Le parc Cartier-Brébœuf

Dénommé ainsi en souvenir du découvreur du Canada et du jésuite qui installa une première mission dans les parages, le parc s'étend en bordure de la rivière Saint-Charles, là où Jacques Cartier et ses matelots amarrèrent la Grande Hermine pour passer le terrible hiver 1535-1536. On visite une réplique du bateau qui fut présentée, en 1967, à l'Exposition universelle de Montréal.

Wendake,
le village des Hurons

2 000 Hurons vivent au Québec parmi lesquels 950 dans le village de Wendake, dont le nom signifie « Là où vivent les Hurons ». Avant l'arrivée des Européens au XVIIe siècle, la nation sédentaire huronne cultivait la terre sur les bords du lac Huron, en Ontario. Grands alliés des Français, les Hurons, évangélisés par les jésuites, furent décimés pendant les guerres iroquoises ; quelques centaines émigrèrent et trouvèrent refuge, en 1650, dans l'île d'Orléans. Plusieurs fois chassés par l'arrivée de nouveaux colons, ils se fixèrent définitivement dans les alentours de Loretteville, en 1697.

La petite réserve fut délimitée en 1794 et reste aujourd'hui sous juridiction fédérale. Max Gros Louis, son chef, célèbre au Québec, y tient une boutique d'artisanat. Dans le village, on se promène par les rues étroites et on découvre nombre d'habitations au toit mansardé. La chapelle Notre-Dame-de-Lorette, vieille de 250 ans, se visite, ainsi que le musée Arouane, consacré à la culture amérindienne.

Les boutiques et la manufacture d'artisanat canadien proposent aux visiteurs des articles tels que mocassins, bottes d'hiver, raquettes, canoë, etc.

Le fort n° 1
de la pointe Levis

A 115 mètres d'altitude, le fort domine les municipalités de Levis et Lauzon, situées en face de Québec sur la rive sud du Saint-Laurent.

Craignant une fois de plus une intervention américaine à propos d'un conflit de pêche, les Anglais établirent entre 1865 et 1872 trois forts pour protéger Québec depuis la rive opposée. Ce fort pentagonal n'a plus vocation militaire et se visite intégralement.

Ile aux Coudres

La côte de Beaupré et Charlevoix

A U nord-est de la ville de Québec, s'étendent sur 40 kilomètres, le long du Saint-Laurent, la côte de Beaupré puis la région de Charlevoix, jusqu'au fjord du Saguenay. « Ah quel beau pré ! » se serait exclamé Jacques Cartier en contemplant l'étroite bande de prairie qui se déroule le long du fleuve entre les chutes Montmorency et le cap Tourmente. Proche de la capitale, la côte de Beaupré devient le berceau de la colonisation rurale en Nouvelle-France ; celle-ci commence vers les années 1620 à cap Tourmente ; une première paroisse est instituée à Château-Richer en 1650. L'activité de la côte de Beaupré restera pour les siècles suivants tournée vers l'agriculture.

La région de Charlevoix débute à la rivière Sainte-Anne, après la ville de Beaupré ; elle borde le Saint-Laurent qui commence à devenir un véritable bras de mer, où les marées se font sentir. Les terres fertiles étant rares, les pôles de peuplement sont surtout concentrés autour des sites de Baie Saint-Paul et La Malbaie. La région tira ses principales ressources de son immense forêt, en particulier grâce à la coupe du bois qui était ensuite expédié vers Montréal et Québec.

C'est dans la seconde moitié du XIXe siècle que la région de Charlevoix acquiert une réputation touristique avec le développement des croisières sur le fleuve et la construction de deux grands hôtels, l'un à Pointe-au-Pic, l'autre à Tadoussac. De nombreux artistes s'y établirent et contribuèrent aussi à la renommée de la région.

Aujourd'hui encore, il est de bon ton pour une partie de l'intelligentsia québécoise d'avoir une maison dans Charlevoix.

◦ L'avenue Royale

Pour découvrir la côte de Beaupré, il vaut mieux, depuis Québec, emprunter la route 360 encore appelée l'avenue Royale ; elle suit à l'intérieur des terres les contreforts du plateau laurentien.

A Saint-Jean-de-Bois-Chatel, l'avenue enjambe la rivière Montmorency juste en amont des chutes ; un parc doté de deux belvédères permet d'observer ces dernières. Bordée de vieilles maisons, de chapelles de procession, de caveaux à légumes creusés à flanc de coteau, l'avenue Royale traverse une série de charmants petits villages et offre quelques points de vue pittoresques sur la côte et le fleuve.

Au cours de la traversée du village de l'Ange-Gardien, de belles et anciennes maisons attirent l'attention : les maisons « Coté », « Paré », « Gagnon », « Mathieu », « Ratte », « Gariépy » sans oublier l'étonnante

et surprenante maison « Richard » construite au début du siècle.

A l'entrée de Château-Richer se dresse l'ancien moulin du Petit Pré, dans les combles duquel est aménagé le centre d'« interprétation » de la côte de Beaupré. Cet imposant moulin à eau, qui fonctionna jusqu'en 1955, occupe l'emplacement où fut construit en 1695 le premier moulin industriel de Nouvelle-France utilisé par le séminaire et les marchands de Québec.

La visite du centre d'interprétation est conseillée pour le cadre, qui est sympathique, mais aussi pour l'imposante maquette du village qui permet de suivre, grâce au rajout d'éléments successifs, le peuplement de la région.

On y découvre la vie des Amérindiens, l'arrivée des Français, le régime seigneurial et l'attribution des terres, le développement spatial du village avec son moulin et sa rivière, l'évolution de l'architecture locale, etc.

Sainte-Anne-de-Beaupré

du 17 au 26 juillet, neuvaine et fête de Sainte-Anne.

Avec une basilique de construction relativement récente, un « cyclorama » qui a tout l'air d'un chapiteau de cirque, des « fast food » et des marchands du temple qui vendent médailles, statues et photos de Jean-Paul II, la petite ville de Sainte-Anne-de-Beaupré est l'équivalent de Lourdes ; c'est le plus important complexe touristico-religieux du Québec : il accueille plus d'un million de visiteurs par an.

Basilique Sainte-Anne-de-Beaupré

La basilique

Le culte de Sainte-Anne remonte au début de la colonisation, lorsque l'équipage d'un navire fut miraculeusement sauvé d'un naufrage dans le fleuve. Il érigea une église, remplacée deux siècles plus tard par la première basilique, qui brûla. L'actuel bâtiment, de style roman, date de 1926. On s'y recueillera devant la statue miraculeuse de Sainte-Anne tenant la Vierge sur son bras droit, et l'autel où est exposé l'avant-bras de Sainte-Anne, relique offerte en 1960 par le pape Jean XXIII.

Le « Cyclorama »

Dans ce bâtiment circulaire est exposée une gigantesque fresque de 14 mètres de haut et 110 de long représentant Jérusalem le jour de la crucifixion du Christ. Elle fut exécutée en Allemagne, entre 1878 et 1882, par des artistes allemands et américains.

Parmi les autres sites à visiter, signalons de l'autre côté de l'avenue Royale, la chapelle de la Scala Santa, construite en 1891 ; elle abrite une réplique de l'escalier qu'emprunta le Christ pour comparaître devant Ponce Pilate. A côté, le chemin de croix qui escalade la pente est bordé de personnages en bronze grandeur nature.

Ceux qui souhaitent découvrir un autre aspect de Sainte-Anne-de-Beaupré longeront la côte Sainte-Anne qui domine la ville, cette petite route secondaire double l'avenue Royale en suivant le bord du plateau et passe devant plus d'une trentaine de maisons anciennes des XVIIIe et XIXe siècles.

L'île d'Orléans

 Mentionnons, entre autres, l'existence de 6 gîtes du passant.

 à Saint-François et Saint-Jean.
Auberge *La Goeliche* à Sainte-Pétronille et *Chaumonot* à Saint-François.

Longue d'une trentaine de kilomètres et large de 8, elle reste encore aujourd'hui une île à vocation agricole qui assure l'approvisionnement des marchés de la capitale en fruits et légumes. On y accède par un pont construit en 1935 et situé juste avant les chutes Montmorency. Après l'avoir enjambé, il est souhaitable de pren-

dre à droite la route 368 et de faire le tour de l'île dans le sens contraire des aiguilles d'une montre. Ce sera l'agréable occasion de découvrir l'architecture québécoise, celle des habitations et bâtiments de fermes, mais aussi des églises et autres chapelles de procession.

Du village de *Sainte-Pétronille*, à la pointe sud de l'île, on a une belle vue sur Québec ; plus loin, quelques vestiges de chalouperies à Saint-Laurent témoignent de la tradition maritime de l'île ; on prêtera attention à la chapelle de procession et au restaurant « Moulin de Saint-Laurent » qui occupe un ancien moulin à farine du XVIIIe siècle. Dans le village suivant de Saint-Jean, il ne faut pas manquer le manoir Mauvide-Genest, l'un des très beaux bâtiments en pierre du Québec, construit en 1734 pour l'an-

cien chirurgien de Louis XV ; le rez-de-chaussée est un restaurant et le premier étage un musée. On remarque également quelques habitations d'inspiration française et d'architecture traditionnelle québécoise.

A l'extrémité nord de l'île, à *Saint-François*, une halte routière et une tour d'observation permettent d'apercevoir le mont Sainte-Anne et le cap Tourmente.

En continuant, la route traverse le village de *Sainte-Famille* qui est la plus ancienne paroisse de l'île fondée en 1661. C'est dans ce village, essentiellement voué à l'agriculture — élevage et vergers — que l'on retrouve plusieurs maisons en pierre datant de la colonisation française ; l'église présente la particularité unique au Québec d'avoir deux tours et trois clochers de façade.

Le circuit s'achève à *Saint-Pierre*, village où vécut le regretté chanteur Félix Leclerc ; on visite l'église, bâtie en 1717, la plus ancienne de l'île.

Du cap Tourmente à Baie Saint-Paul

Le cap Tourmente

Après avoir passé la rivière Sainte-Anne, prendre sur la droite en direction de *Saint-Joachim*, puis dépasser le village. Le cap Tourmente, qui culmine à une altitude de 600 mètres, est aménagé en réserve nationale depuis une vingtaine d'années. Plus de 250 espèces d'oiseaux y sont recensées, surtout l'oie blanche qui, par dizaines de milliers, fréquente le cap de la mi-avril à la mi-mai et de la mi-septembre à la mi-octobre.

Le grand canyon et les sept chutes

En retournant sur la route 138, on peut faire l'excursion du grand canyon de la rivière Sainte-Anne. Ce site touristique privé est particulièrement bien aménagé avec des sentiers, des belvédères et deux ponts qui enjambent la rivière. A 10 kilomètres en amont, le site des Sept-Chutes et de la centrale électrique qui fonctionna de 1916 à 1984 est accessible à partir de Beaupré par la route 360.

Jusqu'à Baie Saint-Paul, la route 138 passe à l'intérieur des terres pendant une quarantaine de kilomètres : elle traverse une région très vallonnée et boisée. Après *Saint-Cassien-des-Caps*, une petite route sur la droite mène au village de *Petite-Rivière Saint-François* ; sur 10 kilomètres, elle donne un aperçu de ce qui fait le charme de *Charlevoix*.

En particulier entre Baie Saint-Paul et La Malbaie : des villages tout en longueur, blottis entre le Saint-Laurent et les escarpements des Laurentides qui se jettent à pic dans le fleuve.

Baie Saint-Paul

 Nombreux hôtels, motels ; bungalows à louer ; également 2 gîtes du passant.

 Parmi les meilleurs du Québec, les restaurants des auberges *La maison Otis*, *La Pignoronde* et *Belle Plage*.

 Randonnée en nature avec un guide naturaliste, se renseigner auprès du Centre d'histoire naturelle de Charlevoix.

Baie Saint-Paul Charlevoix

Cette ville de 8 000 habitants s'étend à l'embouchure de la rivière du Gouffre. Centre agricole et forestier depuis trois siècles — une goudronnerie Royale y fut installée dans les années 1670 — Baie Saint-Paul a su attirer artisans et artistes comme en témoignent ses nombreuses galeries. Le centre d'art de la municipalité, situé dans le même bâtiment que le centre d'information, permet de se familiariser avec les artistes de Charlevoix.

On aura plaisir à se promener le long des rues Sainte-Anne et Saint-Jean-Baptiste. Sur cette dernière se dresse le Centre d'histoire naturelle de Charlevoix. Les particularités géologiques de la région y sont expliquées, comme cette ligne de recouvrement passant sous le Saint-Laurent entre le vieux plateau laurentien de Charlevoix et l'île aux Coudres, qui est elle-même une excroissance des Appalaches.

Dans la ville et ses environs, quelques anciens moulins à eau sont encore visibles comme le moulin Gariépy en face du Centre d'histoire naturelle, ou bien le moulin de la Remi, situé *Rang de la mare* à 3 kilomètres au nord de la ville, sur la route 138.

De Saint-Joseph-de-la-Rive à La Malbaie

  Les auberges *La Maison sous les Pins* aux Eboulements et *Beauséjour* à Saint-Joseph-de-la-Rive. Gîtes du Passant aux Eboulements et à Sainte-Irénée.

Pour se rendre de Baie Saint-Paul à La Malbaie, on emprunte de préférence la route 362 qui longe le Saint-Laurent, quitte au retour à revenir par la 138 à l'intérieur des terres.

A 10 kilomètres de Baie Saint-Paul, une étroite route sinueuse et extrêmement pentue descend à *Saint-Joseph-de-la-Rive* d'où l'on prend le ferry pour l'*île aux Coudres*. Dans le village, l'église mérite un arrêt, tout comme la papeterie Saint-Gilles, où le papier est fabriqué à la main selon un vieux procédé. En face, l'ancien petit chantier naval a été transformé en un musée qui présente de l'accastillage et quelques goélettes.

On rejoint la route 362 un peu à l'intérieur des terres, au village des *Eboulements* ; il tire son nom d'un glissement de terrain consécutif au tremblement de terre qui affecta la région en 1663. Le village a conservé quelques belles et vieilles bâtisses, dont le manoir Sales Laterriere et le moulin de la seigneurie ouvert au public. On découvrira également la forge d'Arthur Tremblay, toujours en activité depuis 1891. Derrière l'école, le Centre d'interprétation géomorphologique de Charlevoix est consacré, entre autres, à un événement qui a fortement marqué la région : l'écrasement sur le site des Eboulements, il y a de cela 350 millions d'années, d'un météorite de 2 kilomètres de diamètre ; cet accident a profondément fragilisé le plateau laurentien qui est l'une des plus vieilles terres du monde. En continuant vers La Malbaie, la route passe à 3 kilomè-

Ile aux Coudres

tres de *Cap aux Oies*, charmant petit hameau dont nous recommandons la visite, puis traverse avec quelques zigzags le pittoresque village de *Sainte-Irénée*.

L'île aux Coudres

H Hôtels à La Baleine et Saint-Louis.

Si aujourd'hui on peut s'y amuser à compter les noisetiers, anciennement appelés coudriers, c'est leur abondance à l'époque qui incita Jacques Cartier à baptiser l'île ainsi.

De *Saint-Joseph-de-la-Rive*, le bateau met un quart d'heure pour atteindre *Saint-Bernard* ; de là, le tour complet de l'île en voiture demande deux bonnes heures et permet de découvrir un environnement pittoresque. A l'extrémité sud de l'île, une vieille goélette est couchée sur la batture ; un peu plus loin, en face du cimetière de Saint-Louis, le petit musée « Les voitures d'eau » évoque le passé maritime de l'île, lorsque les habitants construisaient leur propre goélette et vivaient de la pêche aux belugas.

Les moulins du village de *Saint-Louis* méritent la visite. Très bien restauré, cet ensemble unique au Québec comprend deux moulins à farine, l'un actionné par le vent, l'autre par l'eau ; ils furent construits pour la population par le séminaire de Québec, entre 1824 et 1836. Dans le moulin à eau sont exposés d'anciennes moulanges et des bluteaux (pour moudre le blé).

Plus loin, au village de *La Baleine*, on s'arrêtera dans l'ancienne maison Leclerc, datant de 1750 ; elle est transformée en musée où sont présentés objets et mobilier anciens.

La Malbaie et ses environs

H Nombreux hôtels et motels à Pointe-au-Pic, La Malbaie et Cap à l'Aigle. Gîtes du Passant à Cap à l'Aigle et à Rivière Malbaie.

✕ Parmi les meilleurs, les auberges *La Pinsonnière* et *Les Peupliers* à Cap à l'Aigle, l'*Auberge des trois canards* et l'*Auberge des Falaises* à Pointe-au-Pic.

Un peu au sud, avant d'atteindre

La Malbaie, *Pointe-au-Pic* est depuis un siècle un haut lieu de villégiature où fut bâti en 1899 un grand hôtel, le « Manoir Richelieu » ; celui d'aujourd'hui date de 1928 et est construit en pierre et béton dans le style pseudo-château avec tourelles, pignons et toit de cuivre oxydé. Le village de *Pointe-au-Pic* compte de très belles maisons du début du siècle, souvent remarquables par leur architecture.

La Malbaie est une petite ville administrative. L'installation en 1760 de John Nairne et Malcolm Fraser, officiers du 78e régiment écossais des Fraser Highlanders sonna le début du peuplement autour de l'embouchure de la rivière Malbaie. Aujourd'hui on y visite le musée Laure Conan, à caractère historique et ethnologique, qui présente différentes expressions de l'art populaire de la région. Après avoir franchi le pont qui enjambe la rivière, la route mène à gauche aux *chutes Fraser*, à droite du site où se dresse la réplique en construction du *Pélican*. Ce trois-mâts de 50 canons, commandé par Pierre Le Moyne d'Iberville, coula en 1697 trois navires anglais, avant de sombrer lui-même dans une tempête. S'il faut saluer cette étonnante initiative, on ne peut s'empêcher de penser à ce qu'il est advenu des bateaux qui, jusqu'aux années 1950, naviguaient sur le Saint-Laurent, le Saguenay ou le Richelieu. Dans deux siècles, on y réfléchira !

Port-au-Persil

De Cap à l'Aigle à Baie Sainte-Catherine

E En bateau, observation des baleines dans le Saint-Laurent ; départ du quai de Baie Sainte-Catherine.

Au centre éducatif forestier, *Les Palissades* que l'on rejoint par la route 170.

Itinéraire de 60 kilomètres qui traverse quelques sympathiques villages comme *Saint-Fidèle*, *Port-au-Saumon* et *Port-au-Persil* ; il offre aussi d'agréables points de vue sur le Saint-Laurent.

A *Baie Sainte-Catherine*, dernier village avant le fjord du Saguenay, a été aménagée la halte côtière de Pointe Noire, d'où l'on peut observer les belugas et autres balei-nes qui fréquentent les parages de la mi-juin jusqu'au début de l'hiver. Une exposition est consacrée à la vie de ces mammifères marins et aux causes de leur déclin.

L'intérieur de Charlevoix

✠ au mont du Lac des Cygnes dans le parc des Grands Jardins.

La région de Charlevoix ne se limite pas à la côte ; elle comprend d'immenses étendues boisées que l'on traverse par la route 138 entre La Malbaie et Baie Saint-Paul. Les amateurs de très beaux paysages ne seront pas déçus par une excursion dans le *parc régional des Hautes Gorges* de la rivière Malbaie, où l'on peut faire une croisière dans d'impressionnantes gorges. A une cinquantaine de kilomètres de Baie Saint-Paul par la route 381, le *parc des Grands Jardins* est aussi intéressant par son couvert végétal qui rappelle celui du Grand Nord, et par la présence d'une centaine de caribous.

La rivière Ouiatchouane

Le Saguenay et le lac Saint-Jean

L' ATTRAIT majeur de la région reste, bien entendu, le fjord du Saguenay, magnifique bras de mer de 100 kilomètres de long sur 3 de large. C'est aussi l'impression de se retrouver dans une région qui semble un peu en marge du Québec mais dont les habitants sont étonnamment ouverts sur le monde et particulièrement actifs dans les milieux artistiques et intellectuels.

Comme vous le constaterez au cours de votre périple, l'eau est partout présente : le bassin hydrologique du lac Saint-Jean est le plus étendu du Québec. L'eau fut et reste à la base de toutes les activités : voie de communication et de pénétration de vastes territoires de chasse pour les Amérindiens, moyen de transporter et de transformer le bois, moyen de produire de l'énergie pour les usines de pâte à papier et les alumineries. Longtemps domaine réservé à la trappe et relevant de l'autorité directe des rois de

France puis d'Angleterre, le « Royaume » du Saguenay ne fut ouvert à la colonisation qu'il y a 150 ans à peine. Les colons, poussés par la misère, remontèrent le fjord et, menés par de véritables curés défricheurs, partirent à la conquête des terres autour du lac Saint-Jean.

Aujourd'hui, la population est urbanisée à plus de 75 % et francophone à 97 %. La région est très industrialisée avec ses usines de pâte à papier et alumineries. Elle est réputée pour ses bleuets sauvages, ses gourganes et son fromage en grain. Tout un programme.

Pour ne rien manquer de la région, nous vous proposons le circuit suivant : de *Tadoussac*, remonter la rive nord du Saguenay jusqu'à *Chicoutimi* par la très belle route 172, qui longe la rivière Sainte-Marguerite. De Chicoutimi, rejoindre le lac Saint-Jean, puis le contourner dans le sens des aiguilles d'une montre par la route 169. La portion comprise entre *Métabetchouane* et *Saint-Félicien* est celle qui offre le plus grand nombre de points de vue sur le lac. De retour à Chicoutimi, prendre la route 170 qui suit à l'intérieur des terres la rive sud du Saguenay et rejoint le fleuve Saint-Laurent à Saint-Siméon.

Tadoussac

H Nombreux hôtels et motels/gîtes du passant : *chez Madeleine Fortier*/auberge de jeunesse.

**La très belle route 172 longe la rivière Sainte-Marguerite riche en saumon. Pour pêcher, il est nécessaire de s'inscrire au poste d'accueil de la Z.E.C. dans le village de Sacré-Cœur. A 20 et 50 kilomètres en direction de Chicoutimi, deux observatoires à saumon ont été aménagés sur le bord de la rivière.

E Croisière d'observation des baleines sur le Saint-Laurent.

Porte du Saguenay sur le Saint-Laurent, *Tadoussac* est une petite station balnéaire où il est agréable de séjourner. Si Tadoussac n'a jamais réellement pris d'expansion au cours des siècles, le village a toutefois connu ses heures de gloire : avant l'arrivée des Européens, c'était un centre de rassemblement et de commerce pour les Amérindiens ; plus tard, le poste de traite fut, pendant plusieurs décennies, le plus important d'Amérique du Nord. A la fin du XIXe siècle, l'avènement de la navigation à vapeur et la construction d'un grand hôtel en 1864 allaient transformer le village en lieu de villégiature huppé desservi par la Canada Steamship Lines.

Le meilleur endroit pour contempler le village et, à l'occasion, prendre un verre reste la marina ; de droite à gauche se détachent le long de la promenade : la petite chapelle, l'hôtel de Tadoussac avec son toit rouge, la maison Chauvin. On peut également profiter de la vue en parcourant les sentiers qui serpentent sur la colline de l'Anse à l'Eau et la pointe de l'Islet : ce sont ces deux hauteurs — « tatoushak » en Montagnais — qui sont à l'origine du nom du village.

La maison Chauvin

Réplique du premier poste de traite bâti en 1600, la maison Chauvin — du nom de celui qui obtint du roi Henri IV le privilège de commercer le premier avec les Indiens — abrite un petit musée qui nous replonge au XVIIe siècle, à l'apogée de la renommée du village. Le rituel de la traite avec les Montagnais n'aura plus de secret pour vous ; vous y apprendrez que la base monétaire de la traite était la peau de castor et que sa valeur commerciale était aussi fixée par ordonnances royales. Ainsi, en 1665, un fusil ou une couverture de Normandie valait 6 castors, et 4 livres de poudre un castor !

La chapelle

Arrivés un siècle plus tôt à Tadoussac pour y établir une mission auprès des Montagnais, les jésuites construisirent en 1747 cette petite chapelle qui demeure aujourd'hui la plus vieille en bois du Canada. Après la prise de contrôle de la région par les Anglais en 1760, mais aussi la dissolution de la Compagnie de Jésus en 1773, ce lieu de culte périclita pendant presque un siècle. Dans la seconde moitié du XIXe siècle, l'installation des oblats à Tadoussac et le développement touristique du village sauvèrent la chapelle de l'abandon. Aujourd'hui sont exposés : un enfant Jésus en cire offert par le roi Louis XIV et parfaitement conservé, ainsi que les vêtements qui le recouvrent ; une robe de satin confectionnée par Anne d'Autriche ; également des vêtements liturgiques et des colliers amérindiens.

Sainte-Rose-du-Nord

 Auberge du Presbytère/gîte du passant : chez Gabrielle de Launière.

 Auberge du Presbytère.

Croisière sur le Saguenay, arrivée à Chicoutimi.

Joli petit village lové au fond de l'anse de la Descente des Femmes, ceinturée de collines arrondies et d'herbages. Surnommée « la perle du Saguenay », *Sainte-Rose-du-Nord* a tout pour ravir les photographes, en particulier ceux qui effectuent la traversée Chicoutimi — Sainte-Rose-du-Nord : l'approche du village par le Saguenay est superbe.

On y visite le musée de la nature. Etonnant bric-à-brac faunique qui en dit long sur l'esprit collectionneur de la famille propriétaire des lieux, sur l'imaginaire débordant qui s'épanouit dans cette exposition naïve de racines, loupes et souches diverses. Outre le crâne de l'ancien cheval du propriétaire, on notera au sous-sol deux requins « vidangeurs » pêchés dans le Saguenay ainsi que pratiquement tous les représentants empaillés de ce que la région compte comme volatiles et bestioles à fourrure. A signaler que le musée dispose de quelques chambres à louer pour les touristes.

L'église du village mérite aussi un petit arrêt : entièrement rénovée en 1983 après un incendie, elle possède un mobilier de bois blanc vernis et des bancs de frêne ; l'autel et le pupitre reposent quant à eux sur des souches d'arbres !

Chicoutimi

(62 000 hab.)

  Nombreux hôtels dont deux rue Racine/auberge de jeunesse.

  sur la rue Racine Est et Jacques-Cartier Est.

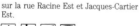

Grande métropole régionale, Chicoutimi s'étend au fond du fjord du Saguenay, « jusqu'où l'eau est profonde » comme l'exprime son nom en montagnais.

Depuis le XVIIe siècle, Chicoutimi occupe une position privilégiée dans le réseau de traite des fourrures ; un poste de traite y était établi et un chemin de portage y aboutissait, permettant de contourner les chutes de la rivière Chicoutimi et de rejoindre le lac Kénogami puis le lac Saint-Jean.

La ville s'est développée à partir de 1842, développement basé sur le sciage du bois jusqu'à la fin du XIXe siècle, la pulpe de bois et l'aluminerie ensuite. Si la ville ne présente pas d'intérêt touristique particulier, on peut tout de même en admirer le site depuis le belvédère de la colline de la Croix de Sainte-Anne, sur la rive droite de la rivière Saguenay. La rue Racine est la grande artère commerçante de Chicoutimi et l'activité nocturne s'y concentre à proximité de la cathédrale.

Le musée du Saguenay-Lac Saint-Jean

S'il ne fallait en visiter qu'un dans la région, ce serait celui-ci. En effet, le musée du Saguenay-Lac Saint-Jean est le plus intéressant ; il reste aussi le seul à expliquer les processus de fabrication de la pulpe, du papier et de l'aluminium : initiation indispensable si l'on veut comprendre quelque chose au développement industriel de la région. Le rez-de-chaussée est agréablement consacré à la vie du siècle dernier à travers le mobilier, les métiers, l'école et les jeux.

La pulperie

Au fond d'une cuvette rocheuse traversée par la rivière Chicoutimi, ce site comprend cinq bâtiments construits entre 1897 et 1923. Les vestiges de ces véritables cathédrales industrielles témoignent d'une époque où la Compagnie de Pulpe de Chicoutimi était le plus grand producteur de pulpe du monde. Parcs, sentiers piétonniers, centre d'interprétation et salles de spectacles ont été aménagés sur le site.

La maison du peintre Arthur Villeneuve

A deux pas de la pulperie, au 669, rue Taché Ouest, on visite la petite maison d'Arthur Villeneuve. C'est en 1956 qu'Arthur Villeneuve, barbier de son métier, troque le blaireau pour le pinceau et commence à pratiquer son art sur les murs de sa maison.

Aujourd'hui, pas un mur, une porte, un plafond qui ne soit recouvert, à l'intérieur comme à l'extérieur de fresques naïves ; étonnant !

C'est le peintre lui-même qui assure la visite, tandis que sa femme veille à la caisse et assure la promotion de l'artiste. Un projet d'aménagement prévoit de déplacer cette maison dans le port de Chicoutimi et de la mettre sous cloche de verre.

Lac à la Croix

H 2 gîtes du passant : chez *Céline et Georges Martin* et chez *Lucie et Joachim Villeneuve*.

E L'embouchure de la Métabetchouane sur le lac Saint-Jean avec son centre d'interprétation.
A 6 kilomètres au sud de Desbiens, la caverne du Trou de la Fée, qui domine la rivière Métabetchouane.

Petit village agricole situé entre *Hébertville* et *Métabetchouane*, il est réputé pour son intéressant musée, qui renferme de belles pièces. Devant le musée, on remarque une baraque aux allures de maison de poupée : c'est l'un des premiers camps d'habitation datant de 1868, qui servait de résidence temporaire pendant la construction de la maison principale.

Dans le musée, fondé en 1972 par l'abbé Lamy, de nombreux objets illustrent le mode de vie au temps de la colonisation : collection d'instruments aratoires, d'outils, de rabots, de mobilier également ; à l'arrière, quelques calèches et un superbe corbillard de la fin du XIXe siècle.

Val Jalbert

Route 169 entre Chambord et Roberval. Le site n'est pas sans rappeler un décor de cinéma, décor d'un film qui aurait pu s'intituler : Grandeur et décadence d'une pulpe-

Val Jalbert - village fantôme

rie. Des dizaines de maisons alignées — certaines restaurées, d'autres aux toits écroulés et aux murs éventrés ; un couvent massif, la maison du surintendant et le magasin général ; en arrière-plan, les vestiges d'une pulperie au pied d'une vertigineuse chute de la rivière Ouiatchouan, chute encore plus haute que celle de Niagara !

Pas une âme qui vive ; les figurants de ce village fantôme ont quitté la scène lorsque la *Quebec pulp and paper mills ltd* fit faillite en 1927. A l'époque, le village comptait plus de 80 maisons et 950 habitants. On ne manquera pas de prendre le téléphérique pour contempler le village ; depuis plusieurs décennies, la nature a repris le dessus : beaucoup d'arbres ont poussé en travers de la voie ferrée et dans les potagers. Cet émouvant haut lieu du tourisme industriel et régional dispose d'un terrain de camping mais aussi de quelques chambres à louer au premier étage du magasin général.

Mashteuiatsh

 Auberge de jeunesse *kukum*.

Les fêtes amérindiennes inter-bandes pendant la deuxième quinzaine de juillet.

Avec près de 1 600 habitants pour le village et 2500 pour l'ensemble de la bande, Mashteuiatsh — Pointe Bleue — est aujourd'hui l'une des plus grosses réserves de la nation montagnaise du Québec.

Premiers habitants de la région, les Montagnais avaient un mode de vie nomade, parcourant l'hiver leur territoire de chasse — délimité pour chaque clan par un cours d'eau —, se rassemblant l'été sur les bords du lac Saint-Jean et à Tadoussac pour les échanges commerciaux. La colonisation des forêts et l'industrialisation ont irrémédiablement poussé les Montagnais à la sédentarisation ; la réserve de Pointe Bleue date de 1856. Aujourd'hui, le désœuvrement, l'alcool et la drogue affectent une bonne partie de la jeunesse, au grand désespoir des aînés.

On y visite le musée où est installée la grande table du conseil, ainsi que la coopérative d'artisanat située à proximité.

Le centre d'information du village est installé face au lac, face à la promenade où a été érigé un monumental tee-pee dont les quatre côtés symbolisent les différentes saisons de l'année.

Saint-Félicien
(10 000 hab.)

H Nombreux hôtels et motels/auberge de jeunesse/4 gîtes du passant : chez *Madeleine et Normand Leclerc* ; *Thérèse et Jean-Marc Tremblay* ; *Gisèle et Fernand Dallaire* ; et enfin *Céline et Jean-Jacques Hébert*.

Petite ville industrielle située sur la rivière Ashuapmushuan et réputée avant tout pour son zoo. L'été, tout le Québec s'y presse pour observer les animaux vivre en « liberté » : c'est en effet le visiteur qui traverse le zoo dans un train aux wagons grillagés.

Mais n'ayez crainte, à la fin de la visite, ce ne sont pas les animaux que l'on relâche mais bien les visiteurs !

En traversant la ville, vous pourrez faire une halte de quelques minutes pour visiter l'église Notre-Dame, dont l'intérieur est recouvert de marbre ; en face, dans le jardin public, sont exposées de surprenantes sculptures naïves composées en 1936 par le curé de la paroisse.

La Doré

Sur la route 167, à 19 kilomètres après Saint-Félicien, juste avant d'entrer dans le village de La Doré, un chemin de terre mène au moulin Audet.

Ce moulin en bois construit en 1890 occupe un très beau site au bord de la rivière aux Saumons. Une visite à ne pas manquer car le moulin reste un véritable monument de l'histoire de la colonisation. Les scieries hydrauliques — 22 en 1871, 300 en 1944 — ont, en effet, balisé les avances successives de la colonisation dans la région, colonisation qui s'appuyait sur l'agriculture et l'exploitation forestière.

On vous montrera le fonctionnement de toutes les machines du moulin : scies circulaires, dégauchisseuse, machine à bardeaux, etc. A l'époque, dans cet endroit éloigné de tout, la majeure partie des pièces devait impérativement être réparée sur place : c'est pourquoi, par précaution, les poulies et les engrenages étaient en bois ; lorsqu'une courroie de transmission cassait, elle était ainsi recousue avec des lanières en peau d'orignal.

A partir des années 20, les turbines actionnèrent également une machine à moudre le grain ainsi qu'une génératrice qui fournissait l'éclairage aux quelques maisons du village.

Après la visite, vous pourrez emprunter un sentier qui fait le tour du site et permet d'observer la passe migratoire à saumon, aménagée à l'extrémité du barrage.

Sainte-Jeanne-d'Arc

H Gîte du passant chez *Denise Bouchard* et *Bertrand Harvey*.

[icon] dans la région :
les 10 jours western de Dolbeau pendant la deuxième quinzaine de juillet ;
le festival du bleuet de Mistassini, première semaine d'août.

Traversé par la rivière Noire, le petit village de Sainte-Jeanne-d'Arc a conservé un caractère campagnard bien sympathique. En son centre, le premier bâtiment du village — le vieux moulin construit en 1907 — a été transformé en musée. Les machines-outils ne fonctionnent plus, contrairement à celles du moulin de La Doré ; on prêtera tout de même attention, au deuxième étage, à la machine à carder la laine installée en 1939 et qui était mue par les turbines du moulin.

On pourra également traverser le vieux pont couvert, perdu en pleine campagne, qui enjambe la rivière Noire à deux kilomètres en amont.

Péribonka

Le village s'étend tout en longueur sur la rive droite de la rivière Péribonka, le plus important cours d'eau à se jeter dans le lac Saint-Jean. A l'extrémité est, un musée moderne, dont les portes sont celles de l'ancienne église, est consacré à Louis Hémon, auteur de *Maria*

Petit lexique montagnais

Nombreux sont les noms de rivières, lacs et sites à la sonorité étrange et exotique : ils témoignent, en effet, de la présence millénaire des Amérindiens dans la région du Saguenay et du lac Saint-Jean. C'est aujourd'hui la région du Québec qui compte le plus grand nombre de toponymes amérindiens, montagnais pour la plupart.
Voici la signification de quelques noms d'endroits où vous ne manquerez pas de vous arrêter.
Chamouchouane : là où l'on guette l'orignal
Chibougamau : lac des passes
Chicoutimi : jusqu'où c'est profond
Kénogami : lac long
Metabetchouan : là où il y a un courant
Mistassini : grosse roche
Ouananiche : le petit égaré (saumon d'eau douce)
Ouiatchouan : eau en cascade
Péribonka : rivière creusant dans le sable
Piekwagami : lac plat
Tadoussac : mamelon

Chapdelaine, le célèbre roman qui fit découvrir au monde la vie dans la région au début du siècle. Les mauvaises langues disent que c'est le seul musée québécois consacré à un étranger — un Français — qui ne séjourna que 6 mois à Péribonka,

Ferme au bord du Saint-Laurent

ne connut jamais la célébrité de son vivant et dont le roman fut apprécié hors du Québec.

De Chicoutimi à Saint-Siméon

La route 170 dessert trois intéressants points de vue sur le fjord.

Au village de *Rivière-Eternité*, on bifurque sur la gauche ; après avoir passé le poste d'accueil du parc du Saguenay, une route de 8 km mène au fond de la baie Eternité, où a été aménagé un centre d'interprétation sur le fjord, et d'où part un chemin pentu qui arrive à la statue de la Vierge Marie dominant le cap Trinité.

Un peu plus loin sur la 170, le village de l'*Anse Saint-Jean* ; dans la partie du village qui borde le Saguenay, on traverse le pont couvert sur la droite et on suit un chemin de terre de 5 km qui aboutit à une aire d'entretien des pylônes à haute tension ; de cet endroit, on bénéficie d'une très belle vue panoramique sur le fjord.

Au retour, on s'arrêtera à la marina qui offre un agréable coup d'œil sur l'Anse Saint-Jean.

Un troisième point de vue sur le Saguenay est accessible en voiture à partir du village de *Petit-Saguenay*.

On y a accès en empruntant une très charmante route qui longe la rive gauche de la rivière Petit-Saguenay.

Québec

Le bon conseil

Compte tenu du relief, les routes 170 et 172 longent le Saguenay à l'intérieur des terres et n'offrent que de rares points de vue sur le fjord. Pour véritablement apprécier la beauté du paysage mais aussi s'imprégner de l'esprit qui anime la région, il est recommandé de faire une croisière sur le Saguenay, une autre sur le lac Saint-Jean si la durée du séjour le permet.

Croisières dans le fjord du Saguenay :

• entre Chicoutimi et Sainte-Rose-du-Nord : croisière sur la « Marjolaine II » ;

• dans la baie Eternité : excursion d'une heure dans la baie ;

• à partir de la ville de la Baie : excursion dans la baie des Ha !Ha ! jusqu'à l'Anse Saint-Jean.

Croisières sur le lac Saint-Jean :

• au départ d'Alma : excursion sur le lac et sur la rivière Grande-Décharge ;

• au départ de Roberval : à bord du catamaran Cepal, si le temps le permet.

Parcs et réserve

Les touristes qui souhaitent passer quelques jours à l'écart de la civilisation apprécieront tout particulièrement les trois parcs et réserve administrés par le ministère des Loisirs, Chasse et Pêche du Québec.

Le parc du Saguenay : il borde de part et d'autre les deux rives du fjord du Saguenay ; il est accessible au sud par la route 170, au nord par la route 172. Ses points forts sont les sentiers de randonnées, belvédères et différents points de vue sur le fjord. **Le parc de la Pointe-Taillon :** sur la rive nord du lac Saint-Jean à l'embouchure de la rivière Péribonka ; accessible par la route 169. Ses points forts sont les plages et la piste cyclable.

La réserve faunique Ashuapmushuan : au nord-ouest de Saint-Félicien, située de part et d'autre de la route 167. Ses points forts sont la pêche et la descente en canot de la rivière Ashuapmushuan. Pour les sportifs...

Rocher Percé

La Gaspésie

PÉNINSULE de 250 km de long sur 120 dans sa plus grande largeur, la Gaspésie s'avance dans l'Atlantique entre le fleuve Saint-Laurent et la baie des Chaleurs. Ce sont les Mic Mac qui donnèrent le nom de Gaspeg, autrement dit « finistère », à la région où ils vivaient.

Très longtemps isolée du reste de la province et tournée vers la mer, la Gaspésie est aujourd'hui la région du Québec qui présente le plus d'attrait touristique. C'est celle, en tout cas, qui offre le plus de contrastes entre les paysages.

Elle allie harmonieusement les grands espaces terrestres et maritimes, la variété du paysage et du relief. L'alternance des golfes, des falaises, des forêts et des petits villages de pêcheurs fait tout son charme.

La population gaspésienne est peu nombreuse : 130 000 habitants répartis le long du littoral et dans la vallée de la Matapédia.

Les Mic Mac, premiers habitants amérindiens, ne sont plus qu'une poignée regroupés dans les réserves de *Restigouche* et *Maria*. La région reste marquée par une relative diversité de peuplement. Elle fut colonisée tout d'abord par les Français, surtout Normands et Bretons ; les Acadiens fuyant la déportation forment la deuxième vague de colons. Puis il y aura la troisième vague de citoyens des îles anglo-normandes de Guernesey, Alderney, Sark et Jersey. Pendant la guerre d'indépendance des Etats-Unis, la Gaspésie reçoit un contingent d'anglophones, Ecossais et Anglais loyalistes qui s'installent à New Richmond, New Carlisle, Port Daniel, Percé et Gaspé.

Au cours de la seconde moitié du XIXe siècle, la Gaspésie accueille des Irlandais fuyant la famine, puis des Canadiens français venant d'autres régions du Québec. Cette diversité de peuplement se ressent encore dans les villages, où il n'est pas rare de trouver plusieurs églises de cultes différents.

Le désenclavement de la Gaspésie est relativement récent : la ligne du chemin de fer Intercolonial atteint Gaspé en 1911 ; la route de ceinture 132 est ouverte en 1929. La pêche, le tourisme et l'industrie de la pâte à papier sont les principales activités locales.

Pauvre, la région l'est restée encore aujourd'hui ; de 25 % en été, le taux de chômage peut atteindre 50 % en hiver ! Longtemps repliée sur elle-même, la population gaspésienne a su, face à l'adversité, développer une richesse de cœur et un sens de l'hospitalité qui restent encore bien vivants.

Le tour de la Gaspésie représente un périple d'environ mille kilomètres, sans compter les excursions, entre autres à l'intérieur du parc de la Gaspésie. Il faut prévoir une bonne semaine pour avoir un aperçu correct de la région.

Dans quel sens parcourir la Gaspésie ?

Celui que nous vous proposons — suivre la route 132 dans le sens contraire des aiguilles d'une montre, à partir de *Sainte-Flavie* — reste celui qui offre, compte tenu du relief et du défilement des côtes puis des anses, la meilleure vue sur le littoral.

La vallée de la Matapédia

H On trouve au moins un hôtel ou un motel dans chacun des villages ou villes suivants : Amqui, Causapscal, Lac au Saumon, Matapédia, Mont-Joli, Routhierville, Sainte-Florence, Sainte-Jeanne-d'Arc, Saint-Moïse, Sayabec et Val-Brillant.

▲ Des terrains à Amqui, Causapscal, Lac Humqui, Saint-Damase, Sayabec et Matapédia.

✗ à Amqui : *La Romance* et le restaurant de l'hôtel *Val-Moni*/à Causapscal : l'auberge *La Coulée douce*/à Matapédia : l'*Entracte*.

⎍ à Amqui.

E Tours guidés sur les rivières Matapédia et Ristigouche en canot motorisé : se renseigner dans la ville de Matapédia.

De Sainte-Flavie à Matapédia, la route 132 traverse en biais la Gaspésie. A partir de Sayabec, la route longe le lac Matapédia puis, sur plus de 70 kilomètres, la rivière Matapédia jusqu'à la baie des Cha-

leurs. Elle traverse une région de collines boisées d'érables et de conifères, et parcourue de rivières encaissées. La vallée, fréquentée par les Mic Mac, fut le refuge de quelques Acadiens ; sa véritable colonisation est relativement récente et date de la fin du XIXe siècle. On observe encore quelques ponts couverts qui enjambent la rivière à côté d'Amqui, entre *Causapscal* et *Sainte-Florence* et à *Routhierville*. En aval de ce dernier village, la rivière Matapédia s'encaisse et s'anime à travers de nombreux rapides. Des haltes routières permettent de contempler le paysage et la rivière qui mérite ici son surnom de « rivière aux 222 rapides ». La vallée de la Matapédia est réputée comme région à saumons : on peut les observer, mais aussi les pêcher.

Parmi les attraits touristiques de la vallée, signalons les chutes à Philomène situées à *Saint-Alexandre-des-Lacs* à une dizaine de kilomètres au sud d'*Amqui*. Egalement à *Causapscal*, le centre d'« interprétation » du domaine de Matamajaw mérite la visite : l'histoire de la pêche au saumon y est retracée dans tous les détails. Les passionnés peuvent pousser plus loin l'excursion jusqu'aux chutes de la rivière Causapscal où se trouve un sanctuaire à saumons ; on les observe remonter le courant fin juin, début juillet.

La baie des Chaleurs

H Nombreux hôtels et motels le long de la baie. Signalons des gîtes du passant à Pointe à la Croix/Nouvelle-Saint-Omer/Maria/Bonaventure/New Carlisle/Hopetown et Port Daniel.

🏔 à Pointe à la Croix/Saint-Omer/Carleton/New Richmond/Caplan/Bonaventure/New Carlisle et Port Daniel.

🍴 Parmi les meilleurs, les restaurants des motels *Baie Bleue* et *Belle Plage* à Carleton/l'auberge *Honguédo* à Maria/l'hôtel-motel *Le Château* à Bonaventure/l'hôtel-motel *Francis* à New Richmond.

E De Carleton, des sentiers pédestres aboutissent au mont Saint-Joseph d'où l'on a une vue admirable sur la baie ; des tours guidés sont organisés dans la région et vers le parc de Miguasha.

🏌 à Bonaventure et Carleton.

🚣 🛶 Avec son contour irrégulier, la côte de la baie des Chaleurs fut très tôt tournée vers

l'agriculture, au moins jusqu'à *Paspébiac*, village à partir duquel l plaine côtière se rétrécit et l'activit s'oriente vers la pêche. Le littora est caractérisé par de nombreu barrachois — littéralement barre (faire) choir (les bateaux) — ce langues de sable qui obstruent l'em bouchure des rivières, délimitan ainsi une lagune.

De *Matapédia*, la route travers les villages de *Restigouche* et d *Pointe à la Croix*. Dans le premie est établie depuis 1824 une réserv Mic Mac qui regroupe 1 400 Amérin diens, dont l'activité est axée sur l vannerie et le travail du cuir. Dan le second village, on visite l'intéres sant parc historique de la Bataill de Ristigouche. Ce musée est consa cré à l'ultime bataille qui opposa le 8 juillet 1760, un convoi de ravi taillement français à une cscadr anglaise.

Après 17 jours de poursuite et de canonnade, les 265 canons anglai eurent raison des 56 canons d « Machault », du « Marquis d Malauze » et du « Bienfaisant ». D nombreux objets provenant de ce navires sont exposés, ainsi que c qui reste de l'épave du « Machault »

En poursuivant, on aura soin de prendre à Escuminac la route d bord de l'eau, qui mène au par de Miguasha. C'est l'un des plu importants sites fossilifères au monde ; il renferme plus de 2 espèces de poissons disparues y a 350 millions d'années. On

La « Charles Robin and Co »

En longeant la baie des Chaleurs, on observe çà et là, sur le littoral, quelques vieux bâtiments de bois encore debout : ces reliques témoignent encore des comptoirs de pêche qui jalonnèrent la côte pendant plusieurs siècles. Les compagnies de pêche à la morue qui les administraient eurent une très grande influence sur la vie économique et sociale de la région, importance aujourd'hui quelque peu refoulée dans l'inconscient collectif. Ces compagnies modelèrent pourtant la vie de la région et de ses habitants par la mise sur pied d'un véritable système de servage digne d'un roman de Zola. La plus tristement connue fut la « Charles Robin and Co » de Jersey.

1766 : Charles Robin, commis d'une compagnie de pêche, arrive dans la baie des Chaleurs. Quelques années auparavant, les troupes anglaises ont détruit tous les comptoirs français ; le long de la côte, il ne reste plus que quelques centaines de pêcheurs sédentaires isolés de tout.

Charles Robin, véritable aventurier, célibataire, ascète, bâtit en quelques années un empire contrôlant jusqu'au début du XXe siècle plus d'une vingtaine d'établissements de Bonaventure à Gaspé, sans compter ceux du Nouveau-Brunswick, de la Nouvelle-Ecosse et de la côte nord du Québec.

Le système est simple et implacable : la compagnie attribue des terres aux habitants et aux pêcheurs, mais pas suffisamment pour qu'ils puissent se détourner de la pêche.

La compagnie détient tout dans le comptoir : les salines, les huilières, les entrepôts de filetage, la boulangerie, la forge, le chantier naval et le magasin général.

Il n'y a pas d'échange d'argent entre l'employeur et les pêcheurs : ceux-ci sont payés uniquement en biens provenant du magasin et ne peuvent donc pas économiser. Celui qui a des dettes se retrouve embarqué comme matelot sur un trois-mâts de la compagnie qui approvisionne l'Europe.

Dans ses communautés de pêcheurs, la compagnie proscrit les écoles ; elle va même jusqu'à imposer une règle de vie ascétique et une discipline de fer à ses commis.

L'arrivée du chemin de fer dans la baie des Chaleurs sonnera le glas de ce triste système de dépendance.

apprend tout de la vie du Bothriolepis Canadensi et de certaines fougères hautes de plus de 30 m.

La route 132 traverse *Carleton*, fondé en 1756 par des réfugiés acadiens, puis Maria, où l'on ne manquera pas de s'arrêter au magasin de la réserve Mic Mac. A *New Richmond*, où s'installèrent des loyalistes fuyant les Etats-Unis, on prêtera attention au type d'architecture des maisons ainsi qu'à leur disposition dans le paysage. A *Bonaventure*, le musée acadien vaut la visite, pour se replonger dans la vie difficile des Acadiens qui bâtirent ce gros village. *New Carlisle* est frappante par le nombre de ses églises, mais aussi par ses maisons cossues, qui témoignent de son importance administrative dans le passé. Le village de *Paspébiac*, qui fut un important centre de pêche, offre la possibilité de visiter les bâtiments des deux compagnies de pêche concurrentes « *Charles Robin and Co* » et « *Le Bouthillier* ».

Percé

 Plus d'une quarantaine d'hôtels et de motels, de tout confort et pour toutes les bourses. Egalement, nombreuses possibilités de location de chalets. Signalons le gîte du passant chez *Rita et Georges Lambert*.

Dans le haut de gamme, les restaurants des hôtels *La Normandie*, l'*Auberge Garganthua* et *Bleu, blanc, rouge*.
Plus typiques, les restaurants *La Maison du pêcheur* et *Le Pantagruel*.
Un café bien sympathique et branché *Les Fous de Bassan*.

6 terrains aménagés.

 Les buts de promenades ne manquent pas. Un sentier part derrière l'église et arpente le mont Sainte-Anne pour se terminer dans une grotte. Un peu à la sortie de la ville, dans la direction de Gaspé, un chemin sur la gauche conduit vers le mont Blanc et vers une grosse crevasse.

Se renseigner au parc sous-marin de la baie de Percé.

Sympathique lieu de villégiature, Percé est l'attrait touristique majeur de la Gaspésie. Que l'on aborde la ville par le nord ou par le sud, l'attention est tout de suite attirée par le Rocher Percé, qui s'avance dans la mer et l'île Bonaventure un peu plus au large.

La découverte de la ville et ses environs demande 2 ou 3 jours ; on prendra plaisir à déambuler le long de l'artère principale qui longe la côte, à flâner dans le centre commercial proche de l'embarcadère où se trouvent de nombreuses boutiques d'artisanat.

Près de Percé

Rocher Percé

Le Rocher Percé

Percé, c'est naturellement son rocher tant peint par les artistes québécois.

Cette imposante masse de calcaire de 300 m de long et 90 m de haut, dont on fait rarement le tour sans se mouiller les pieds, a subi de multiples modifications sous l'assaut des vagues ; les gravures anciennes du début de la colonisation française le représentent doté de 3 puis 2 arches, qui se sont écroulées avec le temps ; celle que l'on observe aujourd'hui s'est formée dans l'année 1855.

Le rocher étant accessible à marée basse. Il conviendra avant d'entreprendre cette excursion de se renseigner au centre d'information sur l'heure des marées.

L'île Bonaventure

De l'embarcadère à Percé, un bateau vous emmène faire le tour de l'île Bonaventure en longeant, à l'ouest, les falaises où est établie la plus importante colonie au monde de fous de Bassan. Il vous débarque à la fin dans l'anse Butler, située à l'est. L'île, aujourd'hui transformée en parc provincial, offre grâce aux différents sentiers qui la traversent, la possibilité de découvrir la flore, d'approcher les fous de Bassan, mais aussi de s'initier à l'histoire de la région.

Elle fut habitée jusqu'aux années 70. Quelques bâtisses en bois sont encore debout : des maisons de pêcheurs, une petite église, mais aussi la maison du gérant de la compagnie de pêche « Le Boutillier »

Ile Bonaventure

qui contrôla toute l'économie de l'île pendant plus d'un siècle.

Cette visite — à ne pas manquer — demande une bonne demi-journée, surtout si l'on veut prendre le temps de s'attarder et de photographier les oiseaux de mer. Au bout du sentier « des colonies », une aire de pique-nique est aménagée à proximité de la colonie des fous de Bassan ; on veillera à emporter des boissons avec soi, car il n'y a pas d'eau sur place. Le dernier bateau appareille vers 17 h et ramène tous les visiteurs, même ceux qui auraient souhaité passer la nuit sur l'île.

Le Centre d'interprétation du parc de l'île Bonaventure

Légèrement en hauteur et en retrait par rapport à la ville, bien situé au milieu d'un parc d'où l'on a une superbe vue sur la mer, le Centre d'interprétation répondra à toutes les questions que vous avez pu vous poser pendant la visite de l'île Bonaventure. La vie et les mœurs des 50 000 fous de Bassan de la colonie n'auront plus de secret pour vous ; idem pour les poissons et les mammifères marins qui fréquentent les courants froids de la région !

Gaspé

H Nombreux hôtels et motels à Gaspé et en bordure du parc à Cap des Rosiers. Gîtes du passant à Gaspé, Anse au Griffon et Petite-Vallée.

▲ 325 emplacements répartis sur 3 terrains dans le parc (séjour de 14 jours maximum).

en haute mer, au départ du havre de Cap des Rosiers.

Avec 18 000 habitants, c'est le plus gros centre administratif de la Gaspésie et aussi le terminus de la ligne de chemin de fer. La cathédrale en bois, une croix de granit, un ensemble de 6 stèles élevées à la mémoire de Jacques Cartier et le musée de la Gaspésie en sont les principaux points d'intérêt.

Le parc national Forillon

Après Gaspé, la route longe la baie de Gaspé puis la péninsule et le parc national de Forillon qui y a été aménagé. Que dire du paysage sinon qu'il est sublime : falaises, escarpements, caps rocheux, anses de galets se succèdent le long du littoral accidenté.

Il y a deux postes d'accès au parc sur la route 132, l'un au sud dans le village de Penouille, l'autre au nord entre Rivière au Renard et l'anse au Griffon ; le centre d'interprétation est situé au havre de Cap des Rosiers. Ce parc de 240 km² administré par le gouvernement fédéral du Canada s'articule autour du thème « l'harmonie entre l'homme, la terre et la mer ». Dans ce parc — dont la création a nécessité l'expropriation de nombreux habitants qui vivaient en harmonie avec leur milieu — la vie d'autrefois est retracée à *Grande-Grève*, où l'on

Grande Vallée - Gaspé

visite le magasin Hyman qui date de l'époque des compagnies de pêche ; un peu plus loin on accède aux bâtiments de la famille Blanchette, qui témoignent des conditions de vie difficiles des pêcheurs.

Les nombreux sentiers du parc permettent de découvrir une végétation très diversifiée : naturellement une forêt de conifères et de feuillus mais aussi une végétation de dunes et de marais saumâtres à *Penouille*, une flore arctique et alpine sur les falaises du cap Bon-Ami. Pour les animaux, on y observe naturellement des oiseaux marins — mouettes, goélands, cormorans — mais aussi des orignaux, des ours et des chevreuils. A cap Bon-Ami, cap Gaspé et l'anse au Sauvage, des longues-vues sont installées pour observer en mer les baleines qui croisent dans les parages.

Signalons deux visites qui s'offrent également à vous : celle du phare du cap des Rosiers construit en 1858 et celle, à l'anse au Griffon, du manoir Le Boutillier. Cette demeure de pur style québécois fut celle de John Le Boutillier, qui débuta comme commis pour la « Charles Robin and Co », fonda sa propre compagnie de pêche et termina sa vie comme homme politique de la région.

Tout en continuant de longer la pointe de la Gaspésie, la route 132 joue un peu aux montagnes russes : belle descente vers une anse, traversée d'un petit village de pêcheurs puis rude remontée à travers une zone boisée et ainsi de suite. Certains villages comme *Pointe à la Frégate*, *Petite-Vallée* ou *Grande-Vallée* sont particulièrement pittoresques.

La côte du Saint-Laurent et le parc de la Gaspésie

[H] Nombreux hôtels et motels sur la côte. Signalons des gîtes du passant à Rivière à Claude/La Martre/Sainte-Anne-des-Monts/Sainte-Félicité/Matane/Saint-Ulric/Saint-Octave-de-Métis/Sainte-Flavie.
Dans le parc de la Gaspésie, sur le bord de la route 299 : l'auberge *Gîte du Mont Albert* offre une bonne table et une cinquantaine de chambres.

[▲] Nombreux terrains le long de la côte. Dans le parc de la Gaspésie : camping *Mont Albert*, *Lac Cassapésia* et *La Galène*.

[✗] *Auberge La Martre* à La Martre/à Matane, les salles des hôtels *Auberge des Gouverneurs*, *Inter Rives* et *Belle Plage*/à Métis-sur-Mer, les salles des hôtels et motels *Au coin de la Baie* et l'*Auberge le Goéland*.

[E] Dans le parc de la Gaspésie, des sentiers pédestres permettent d'atteindre le sommet, plat comme une galette, du mont Albert ; il faut compter la journée pour effectuer l'aller-retour à partir du *Gîte du Mont Albert*.

[⚑] à Matane : festival de la crevette, fin juin, début juillet/à Mont Saint-Pierre : fête du vol libre, fin juillet, début août.

[↳] à Grand-Métis et Matane.

[♀]

Beaucoup moins découpée, cette partie du littoral de la Gaspésie est souvent impressionnante par ses sombres falaises qui surplombent la route et le fleuve. Des villages de *Mont Saint-Pierre* et *Rivière à*

Environnement en Gaspésie

Claude partent des routes aboutis-
sant au grand parc de la Gaspésie,
mais c'est un peu plus loin, à *Sainte-
Anne-des-Monts*, que se trouve la
principale voie d'accès au parc.
Cette petite ville a conservé encore
quelques belles maisons, dont certaines reconverties en auberges,
comme celles du « Château Lamon-
tagne » ou de « La vieille maison ».
De Sainte-Anne-des-Monts, la route
299 traverse le parc de la Gaspésie
qui couvre une grande partie des
monts *Chic-Chocs* ; cette chaîne,
qui compte les monts les plus élevés
du Québec comme le mont Jacques-
Cartier (1 248 m), est un prolongement des Appalaches et l'épine dor-
sale de la Gaspésie. Le parc offre,
avec l'altitude, un éventail de végétation qui va de la forêt de conifères

Le bon conseil

De par leur situation géographique, certaines parties de la Gaspésie peuvent être soumises au
brouillard et à la pluie.
Si vous souhaitez ne pas vous
retrouver à Percé en train de
vous demander où peut bien être
le Rocher parmi toute cette
brume environnante, rensei-
gnez-vous sur les conditions
météorologiques avant d'entreprendre le tour de la Gaspésie.
La région est plus au nord que
Montréal et Québec : il y fait plus
froid, surtout quand le vent du
large souffle ; vous aurez soin
d'emporter un pull ou un coupe-
vent, même en plein été.

et de feuillus à la toundra. C'est aussi l'unique région du Québec où cohabitent trois espèces d'ongulés : l'orignal, le chevreuil et le caribou.

On sera intrigué, en arrivant à *cap Chat*, par un anneau vaguement elliptique et vertical, visible de loin : une éolienne de 110 m de haut ; c'est la plus grosse éolienne à axe vertical du monde. Produisant 4 mégawatts, elle alimente plus de 200 maisons et tourne avec des vents soufflant de 25 à 60 km/h.

A *Matane*, petite ville réputée pour son saumon et ses crevettes, on peut s'arrêter à la passe migratoire à saumon du barrage installé à deux pas de l'hôtel de ville. Des ferrys assurent la traversée du Saint-Laurent en direction de *Godbout* et *Baie Comeau*. La route 132 suit la berge et termine sa boucle à Sainte-Flavie.

Avant de clôturer le tour de la Gaspésie, on ne manquera pas la visite, dans le village de *Grand-Métis*, du jardin de Métis. Agréable et superbe jardin floral de style anglais, il fut aménagé à partir de 1922 par la nièce d'un ancien président de la compagnie de trains « Canadien Pacifique ». Un musée et un restaurant sont installés dans la somptueuse villa du domaine.

Vue aérienne : le Parlement

Hull - Ottawa

OTTAWA, située en Ontario, fut choisie comme capitale fédérale pour sa situation à la « frontière » entre le Canada français et le Canada anglais ; lui faisant face, sur l'autre rive de la rivière des Outaouais s'étend la ville québécoise de Hull.

L'agglomération de Hull-Ottawa est le centre politique, administratif et culturel du Canada ; elle n'est qu'à 210 kilomètres de Montréal. Pendant votre séjour au Québec, il serait dommage de ne pas prévoir une escapade d'une journée ou deux à Ottawa, ne serait-ce que pour visiter les grands musées nationaux.

Si vous êtes pressé par le temps, il est préférable d'emprunter au départ de Montréal l'autoroute 40, puis 417, qui coupe par l'Ontario.

Les musées

Parmi les musées de l'agglomération voici les deux à visiter en priorité :

Le musée canadien des Civilisations

(100, rue Laurier, Hull)

Les bâtiments du musée sont l'œuvre de Douglas Cardinal : les différents étages s'y superposent en strates ondulantes. Le musée lui-même est organisé à partir de quatre grandes salles : la galerie de l'art autochtone, la salle des autochtones qui raconte l'évolution des premiers peuples du Canada ; la salle des arts et traditions populaires et la salle d'histoire, axée sur les dix derniers siècles.

Le musée des Beaux-Arts du Canada

(380, promenade Sussex, Ottawa)

Conçu par l'architecte canadien Moshé Sadie, le bâtiment s'intègre particulièrement bien, avec son clocher et sa structure vitrée, à l'environnement lointain de la colline parlementaire ; il est, de plus, intéressant par ses volumes et ses deux patios intérieurs. Au niveau I, on visite l'étonnante chapelle du couvent des Sœurs Grises de la Croix, chapelle entièrement reconstruite à l'intérieur du musée ; également les salles consacrées aux artistes canadiens.

Réparties aux 1er et 2e niveaux : plus d'une quinzaine de salles d'art contemporain ; le reste du niveau 2 est consacré à l'art européen et américain ; deux salles exposent des œuvres inuites.

La Monnaie royale canadienne

(320, promenade Sussex, Ottawa)

Elle a produit ses premières pièces en 1908 ; depuis 1976, cette institution s'est spécialisée dans la frappe des médailles.

Le musée canadien de la Guerre

(330, promenade Sussex, Ottawa)

Armes, uniformes, véhicules et engins blindés, de la colonisation française à la Seconde Guerre mondiale.

Le musée national de l'Aviation

(aéroport de Rockcliffe, Ottawa)

Plus d'une quarantaine de coucous exposés dans ce nouvel édifice de forme triangulaire, dont le « Sopwith Snipe » de Billy Barker, as canadien de la Première Guerre mondiale.

Le musée de l'Agriculture

(promenade Reine Elisabeth, Ottawa)

Qui l'eût cru ? Le centre géographique de la capitale et de sa région est occupé par une ferme expérimentale de plus de 500 hectares.

Le musée se trouve au premier étage de l'étable. On visite également dans la ferme l'arboretum, le jardin botanique et le jardin décoratif.

La colline parlementaire

Sur cette colline, qui surplombe la rivière des Outaouais, s'élèvent trois bâtiments qui abritent les institutions de l'Etat canadien.

L'édifice du Parlement, celui du centre, fut construit entre 1860 et 1866. Il accueille la Chambre des Communes avec ses 282 députés élus, mais aussi le Sénat et ses 104 membres. On accède au sommet de la tour de la Paix, cette haute tour au centre du Parlement. Attenante au bâtiment, côté nord, se trouve la bibliothèque avec son dôme pointu.

Le bâtiment de l'ouest regroupe aujourd'hui les bureaux des parlementaires. L'édifice de l'est abrite les bureaux du Premier ministre et du gouverneur général. Quatre salles sont ouvertes à la visite : le salon du Conseil privé et trois bureaux qui furent occupés par le gouverneur général Lord Dufferin

de 1782 à 1878, et les deux fondateurs de la confédération Sir J.A. Macdonald et Sir G.E. Cartier.

Le marché By

A trois pas du musée des Beaux-Arts, vous découvrirez le quartier du marché By, quartier sympathique et rénové qui s'étend autour du marché couvert construit en 1926. On y trouve des boutiques de mode, des galeries d'art, quelques cafés. Pour y accéder, il faut prendre la rue d'York qui part de la promenade Sussex.

Renseignements pratiques

Adresses utiles

En France
Délégation générale du Québec à Paris : 66, rue Pergolèse, 75116 Paris. Tél. 45.02.14.10.

Services culturels de la Délégation générale du Québec : 117, rue du Bac, 75007 Paris. Tél. 42.22.50.60.

Office du tourisme du Québec : 11 bis, rue de Presbourg, 75116 Paris. Tél. 45.00.95.55.

Ambassade du Canada : 35, avenue Montaigne, 75008 Paris. Tél. 47.23.01.01.

Centre culturel canadien : 5, rue de Constantine, 75007 Paris. Tél. 45.51.35.73.

Association France-Québec : 24, rue de Modigliani, 75015 Paris.

Office franco-québécois pour la jeunesse : 5, rue de Logelbach, 75017 Paris.

En Belgique
Délégation générale du Québec à Bruxelles : 46, avenue des Arts, 1040 Bruxelles. Tél. 512.00.36.

Ambassade du Canada : 2, avenue de Tervuren, 1040 Bruxelles. Tél. 735.60.40.

En Suisse
Ambassade du Canada : Kirchenfeldstrasse 88, 3005 Berne. Tél. 44.63.81.

Au Québec
Consulat général de France à Montréal : 2, Elysée, étage E, place Bonaventure, Montréal (Québec), H5A 1B1. Tél. 514-878.43.81.

Consulat général de France à Québec : 1110, av. des Laurentides, Québec (Québec), G1S 3C3. Tél. 418-688.04.30.

Consulat général de Belgique à Montréal : 1001, boul. de Maisonneuve Ouest, bureau 1250, Montréal (Québec), H3A 3C8. Tél. 514-849.73.94.

Consulat général de Suisse à Montréal : 1572, rue du Dr Penfield, Montréal (Québec), H3G 1C4. Tél. 514-932.71.81.

Consulat de Suisse à Québec : 3293, 1ère avenue, Québec (Québec), G1L 3R2. Tél. 418-623.98.64.

Bibliographie

Moi, je m'en souviens, Pierre Bourgault, éd. Stanké.

Brève Histoire du Québec, J. Hamelin et J. Provencher, éd. Boréal Express.

Petit Manuel d'histoire du Québec, Léandre Bergeron, éditions Québécoises.

Québec, histoires de chums et de grands espaces, éditions Autrement.

Québec, Philippe Meyer, coll. Petite Planète, éd. du Seuil. Et quelques classiques de la littérature québécoise :

Les Fous de Bassan, Anne Hébert (prix Fémina 1983).

Bonheur d'occasion, Gabrielle Roy (prix Fémina 1947).

Une saison dans la vie d'Emmanuel, Marie-Claire Blais (prix Médicis 1966).

Le Québec s'étend en latitude du 45e au 60e parallèle ; si le sud de la province est à la même latitude que La Rochelle en France, il y règne par contre un climat continental.

L'hiver est long, très long : il dure de la mi-novembre à la mi-mars. Les températures sont basses mais on ne souffre pas trop du froid tant les maisons, les commerces et les bâtiments publics sont surchauffés.

Le printemps est bref, rapide ; un mois de dégel, de gadoue, de « sloche » en avril, puis il fait chaud en mai et juin.

L'été : de juillet à la mi-août, ce sont les très grosses chaleurs avec des températures qui se situent entre 30 et 35°C ; après, cela devient plus supportable.

L'automne : de la mi-septembre à la mi-octobre, il fait généralement doux ; c'est la période idéale pour apprécier pleinement la nature du Québec, entre autres le changement de couleur des érables.

Tableau des températures moyennes à Montréal et Québec

	Montréal		Québec	
	Min. °C	Max. °C	Min. °C	Max. °C
Janvier	− 12	− 4	− 14	− 6
Février	− 11	− 3	− 13	− 5
Mars	− 5	2	− 8	0
Avril	3	11	0	8
Mai	9	18	6	16
Juin	14	23	12	21
Juillet	17	26	14	24
Août	16	25	13	23
Septembre	12	21	9	18
Octobre	6	13	3	11
Novembre	0	6	− 2	3
Décembre	− 9	− 2	− 12	− 5

🌐 Normalement, il y a 6 heures de décalage entre Paris et Montréal : quand il est midi à Paris, il est 6 heures du matin à Montréal. Le Québec et la France ne passant pas simultanément à l'heure d'été ou à l'heure d'hiver, le décalage horaire peut alors varier temporairement d'une heure.

💾 L'unité monétaire est le dollar canadien, couramment appelé au Québec la piastre ; on trouve des billets de 1, 2, 5, 10, 20, 50 et 100 dollars ; des pièces de un dollar, 1, 5, 10 et 25 cents ; le cent est aussi dénommé cenne ou sou.

La parité du dollar canadien avec le dollar américain est relativement stable ; elle fluctue autour de 80 % : un dollar canadien équivaut environ à 80 cents américains.

Les chèques de voyage sont acceptés dans la plupart des hôtels et des magasins, de même pour les cartes de crédit Master Card, Visa et American Express. S'il vous arrivait de perdre ou de vous faire voler vos cartes de crédit, signalez-le au Québec aux numéros de téléphone suivants :
• American Express : 1-800-268.98.24.
• Master Card : 514-877-86.10.
• Visa : 514-289.03.12.

📇 Un touriste est autorisé à entrer au Québec avec :

— des cadeaux à condition qu'ils soient emballés séparément et que la valeur de chacun n'excède pas 40 dollars ;

— 200 cigarettes, 50 cigares et 1 kg de tabac ;

— 8,5 litres de bière ou 1,4 litre de vin ou de spiritueux (la tolérance va jusqu'à 2 litres).

En ce qui concerne les viandes et les fromages, seules les viandes en conserve stériles qui ont été cuites

Distance entre les principales villes du Québec (en km)

Chicoutimi	Gaspé	Hull	La Malbaie	Montréal	Québec	Rimouski	Sherbrooke
649							
662	1 124						
186	572	596					
464	930	207	405				
211	700	451	149	253			
264	431	736	142	539	312		
451	915	347	388	147	240	527	

industriellement sont admises au Canada. Pour les fromages, seuls ceux à pâte molle de production familiale peuvent être interdits.

Avis aux chasseurs ! Le chasseur qui souhaite venir au Québec avec son arme doit présenter à la douane un permis d'acquisition d'arme à feu, sinon l'arme sera retenue jusqu'à présentation du permis. Celui-ci s'obtient auprès de la Sûreté du Québec ; compte tenu des délais, il est préférable d'en faire la demande quelques mois avant son séjour, en écrivant à la Sûreté du Québec (1701, rue Parthenais, Montréal, H2L 4K7, P.Q.).

Dans toute la province, courant alternatif 110 V à 60 Hz. Il faut prévoir un adaptateur car les prises de courant n'acceptent que des fiches plates.

Émigrer au Québec

Pourquoi pas ! Le Canada et le Québec restent, encore aujourd'hui, des pays d'immigration. Le Québec accueille chaque année environ 20 000 immigrants et ce chiffre devrait augmenter à l'avenir, pour pallier la baisse du taux de natalité.

L'immigration au Québec a connu ses heures de gloire au début des années 50 : les difficultés d'après-guerre, en Europe, et le lancement d'un programme de grands travaux, au Québec, ont induit un courant d'immigration et contribué à créer certains mythes qui ont encore

cours en France. Pour se faire une meilleure idée des réalités, un séjour touristique au Québec — même en plein hiver — demeure une excellente initiation pour le candidat à l'émigration. Celui-ci devra déposer sa demande auprès des services d'immigration de la délégation générale du Québec à Paris (ou Bruxelles) ; le Québec est, en effet, la seule province canadienne à avoir revendiqué auprès du gouvernement fédéral le droit de sélectionner ses propres immigrants.

Pour entrer au Canada, et donc au Québec, il faut un passeport valide. Les Français, Belges, Suisses et Luxembourgeois n'ont pas besoin de visa ; celui-ci est obligatoire pour les ressortissants des pays du Maghreb.

A l'aéroport ou bien au poste frontière, l'officier d'immigration du Canada pourra demander à voir votre billet de retour ainsi que les preuves de votre autonomie financière (carte de crédit, chèques de voyage, etc.). La durée de séjour accordée est laissée à sa discrétion.

Les banques ouvrent du lundi au vendredi de 10 h à 15 h ; certaines assurent une nocturne jusqu'à 20 h le jeudi.

Les magasins sont généralement ouverts de 9 h 30 à 18 h ; les jeudi et vendredi, la plupart restent ouverts jusqu'à 21 h ; le samedi, ils ferment à 17 h. Un certain nombre

Québec

d'épiceries de proximité — de
« dépanneurs » comme disent les
Québécois — restent ouverts jour et
nuit, ainsi que quelques pharmacies. Les bureaux fonctionnent du
lundi au vendredi de 9 h à 17 h.

Les centres d'informations touristiques sont nombreux au
Québec, dans les principaux centres
urbains mais aussi en bordure des
grands axes routiers, à l'entrée des
régions touristiques. L'accueil y est
aimable et sympathique. Recruté
temporairement pour les mois d'été,
le personnel d'accueil manque souvent de connaissances culturelles
sur les sites qu'il est censé présenter. Dans les centres, on trouve des
cartes mais surtout des brochures
d'information, avant tout publicitai-
res. Les documents d'intérêt purement culturel, édités par des orga-
nismes locaux ou susceptibles
d'aiguiser l'appétit de découverte
des touristes étrangers francophones, ne sont malheureusement que
très rarement exposés ; on se les
procure, heureusement, sur les sites
mêmes.

Pour obtenir des informations
touristiques :

• à Montréal : Centre Infotouriste, 1001, rue du Square-Dorches-
ter (à l'angle de la rue Metcalfe et
du square Dorchester).

• à Québec : Maison du tourisme
de Québec, 12, rue Sainte-Anne (en
face du château Frontenac).

• par téléphone :
— de Montréal et ses environs :
873.2015 ;
— d'ailleurs au Québec : 1-800-
361.5405 (appel gratuit) ;
— de l'Ontario et des provinces de
l'Atlantique : 1-800-361-6490
(appel gratuit) ;
— de l'est des Etats-Unis : 1-800-
443.7000 (appel gratuit).

Jours fériés
— La fête nationale du Québec :
le 24 juin, le jour de la Saint-Jean-
Baptiste.
— 1er janvier.
— Vendredi saint.
— Lundi de Pâques.
— Fête de Dollard : le lundi suivant le 15 mai.
— Fête de la confédération canadienne : 1er juillet.
— Fête du travail : 1er lundi de
septembre. Cette date marque généralement la fin de la saison touristique ; beaucoup de lieux touristiques
et de musées locaux entrent en
hibernation.
— Jour d'action de grâce : 2e
lundi d'octobre.
— Noël.

Rien de plus facile que de louer
une voiture au Québec : ce ne
sont pas, en effet, les agences qui
manquent dans les principales villes
du Québec et aux aéroports de
Montréal et Québec. Les conditions
de location varient d'une agence à
l'autre ; certaines exigent que le

114

chauffeur soit âgé de plus de 25 ans ; toutes obligent le touriste à présenter une pièce d'identité et à payer par carte de crédit. En ce qui concerne les tarifs, il y a lieu de se renseigner avant de partir pour le Québec : certaines compagnies internationales peuvent proposer des prix intéressants, à condition que la voiture soit réservée en dehors du Canada.

Le réseau ferroviaire est avant tout utilisé pour le transport de marchandises ; au nom de la rentabilité, le gouvernement fédéral envisage la fermeture des quelques lignes de voyageurs qui subsistent. On l'aura compris : l'avenir du train est plutôt sombre pour les Québécois comme pour les touristes. Vive l'automobile !

L'autocar : confortable, efficace et flexible. De nombreuses compagnies privées desservent tout le pays. On se renseigne sur les horaires et les destinations, à Montréal, au Terminus Voyageur : 505, boulevard de Maisonneuve Est. Tél. 514/842.2281 ; à Québec, au Terminus Voyageur : 225, boulevard Charest Est. Tél. 418/524.4692.

Le permis de chasse s'achète dans les boutiques d'articles de sport ; le touriste doit présenter un document de son pays attestant qu'il est apte à utiliser une arme à feu. Le prix du permis varie de 40 à 125 dollars suivant le type de gibier chassé.

Le permis s'obtient dans les magasins de sports et d'articles de pêche ; son prix est d'une quarantaine de dollars pour la pêche au saumon de l'Atlantique et d'une trentaine pour les autres espèces.

Le service postal, assuré par la Société canadienne des Postes, ne s'occupe que d'acheminer du courrier ; c'est l'un des services qui fonctionne le plus mal dans le pays : une lettre peut mettre de 3 à 5 jours pour traverser Montréal, une semaine — en express — pour gagner Paris ! Les bureaux de poste sont ouverts de 8 h à 17 h 45, fermés le samedi et le dimanche. Il ne faut pas s'étonner de trouver des bureaux de poste dans les épiceries ou les boutiques d'habillement : ce service public est en complète déliquescence, et des concessions ont été accordées à des commerces privés. On achète des timbres à la poste ou bien dans les distributeurs automatiques installés dans les gares, les hôtels et certaines pharmacies.

Une quinzaine de compagnies se partagent le réseau téléphonique du Québec ; la plus importante est Bell Canada. On peut téléphoner à partir de cabines et de postes publics installés dans certains commerces, ou bien utiliser l'appareil d'un particulier. Pour des appels interurbains ou internationaux à partir de cabines publiques, il convient de se munir de beaucoup de pièces de 25 sous. A partir d'un poste particulier, les appels locaux peuvent être illimités car l'abonnement comprend un forfait pour ce genre d'appel ; le samedi, les communications interurbaines et internationales sont moins chères.

Télégramme

Les télégrammes sont acheminés par la compagnie privée CNCP (Canadien National - Canadien Pacifique). Il suffit de téléphoner le message, que la compagnie fera parvenir à votre correspondant.

Il est d'usage de laisser un pourboire dans les restaurants ; son montant est de 15 % du prix du repas hors taxes, ou approximativement de 10 % du prix toutes taxes comprises.

Dans les bars, cafés, brasseries et boîtes de nuit, on laisse au minimum une pièce de 25 sous pour une consommation. On aura également soin de laisser une pièce au pompiste ou au chauffeur de taxi.

Le Devoir, *La Presse* et *Le Soleil* sont les principaux quotidiens à diffusion provinciale ; ce ne sont pas des journaux d'opinion ; on y lit avant tout des nouvelles régionales, sportives et énormément de publicité. *Le Devoir* semble être celui qui respecte le plus ses lecteurs.

A Montréal, on peut se procurer facilement tous les grands quotidiens et hebdomadaires américains et francophones, de quoi satisfaire le voyageur en mal d'actualité internationale, de polémiques et d'analyses politiques !

Radio et télévision

Radio

Sur les ondes AM et FM, on trouve plusieurs réseaux de radios commerciales privées qui, tout comme en Europe, proposent de la pub, de la musique à la mode, des nouvelles de la météo et de la circulation routière. « Radio Canada » se démarque du lot par sa qualité relative ; signalons que certaines radios purement locales ne manquent pas d'intérêt et méritent qu'on leur prête l'oreille.

Télévision

Le Québec est couvert par quatre grands réseaux : le réseau d'Etat « Radio Canada » offrant une chaîne en français et une en anglais, le réseau « Radio Québec » financé par la province et dont les émissions sont peu coupées par la publicité ; les deux réseaux privés, « Télé Métropole » et « Télé Quatre Saisons » qui partagent une solide capacité à brosser le téléspectateur dans le sens du poil et à lui faire ingurgiter de la pub. Le câble permet de capter, en plus, les principales chaînes . américaines, C.B.S., N.B.C., A.B.C. ainsi que TV5, la chaîne internationale de langue française. Cette dernière présente les grandes émissions des télévisions des pays francophones dont, à 19 h, le journal télévisé français d'A2 ou de TF1. Pour ceux qui souhaitent en savoir un peu plus sur le Québec pendant leur séjour, TV5 présente, chaque jour à 19 h 30, le meilleur bulletin d'information sur la province ; à ne pas rater ! A signaler également, le samedi à 19 h 30, l'excellent magazine hebdomadaire « Contact », consacré aux provinces canadiennes.

Règles de conduite automobile

Pour un séjour de moins de trois mois, le permis de conduire national est valable au Québec ; au-delà, le permis international est requis.

Les limitations de vitesse sont de 100 km/h sur les grandes routes, 80 km/h sur les routes de moindre importance, et de 30 à 50 km/h en agglomération.

Les règles de conduite sont pratiquement les mêmes qu'en Europe avec, toutefois, quelques petites particularités à souligner :
— lorsqu'un bus scolaire est arrêté avec ses feux clignotants rouges allumés, il est formellement interdit de le doubler ou de le croiser en sens inverse ;
— aux carrefours, les feux tricolores peuvent être remplacés par des panneaux Arrêt-Stop qui indiquent l'obligation de s'arrêter avant de s'engager. La priorité à un carrefour dont les quatre entrées portent un panneau Arrêt-Stop est fonction de l'ordre d'arrivée des voitures au carrefour.

Santé

En cas de maladie ou d'accident pendant le séjour, il faut savoir qu'il n'existe pas, en ce qui concerne la Sécurité sociale, d'entente entre le Québec et la France (excepté pour les étudiants). On aura soin de demander sur place toute facture permettant d'obtenir le remboursement au retour.

Les unités de mesures

Le système métrique est en usage officiel au Québec depuis quelques années, cependant il n'est pas encore complètement entré dans les mœurs. Les personnes âgées utilisent les anciennes mesures et dans certains secteurs d'activité comme le bâtiment, les mesures employées restent américaines ou anglaises. Voici quelques tableaux qui vous permettront de passer d'un système à l'autre.

Les longueurs
    1 pouce = 2,54 cm
    1 pied = 0,3048 m
    1 verge = 0,9144 m
    1 perche = 5,029 m
    1 mille = 1,609 km

Les surfaces
    1 pied carré = 0,093 m²
    1 acre = 0,405 hectare

1 mille carré = 259 hectares = 2,59 km²

Approximativement : 1 m² = 10 pieds carrés

Les volumes
1 pouce cube = 16,39 cm cubes
1 pied cube = 28,571 décimètres cubes
1 verge cube = 0,765 mètre cube.

Approximativement : 1 mètre cube = 30 pieds cubes

Les poids
1 once = 28,35 g
1 livre = 453,592 g

Les capacités
1 chopine = 0,568 l
1 pinte = 1,137 l
1 gallon = 4,546 l

Les températures

Co	F
- 40	- 40
- 35	- 31
- 30	- 22
- 25	- 13
- 20	- 4
- 15	5
- 10	14
- 5	23
0°	32
+ 5	41
+ 10	50
+ 15	59
+ 20	68
+ 25	77
+ 30	86
+ 35	95
+ 40	104

Lexique

A
Achaler : Déranger

B
Bas : Chaussette
Bebelle : Objet
Bec : Baiser (un)
Bibite : Insecte
Bicycle : Bicyclette
Blonde : Copine
Bonjour : Au revoir
Boucane : Fumée
Break (prendre un) : Pause (faire une)
Breuvage : Boisson
Brosse (prendre une) : Cuite (prendre une)

C
Café régulier : Café filtre très allongé
Cabaret : Plateau
Camisole : Tee-shirt
Canceller : Annuler
Cane (une) : Boîte
Carrosse : Chariot
Centre d'interprétation : Etablissement à vocation culturelle, à mi-chemin entre le centre d'information et le musée.
Char : Voiture
Chaudière : Seau

Chauffer : Conduire
Cheap : Bon marché
Checker : Vérifier
Chicane : Querelle
Chum : Copain
Clairer : Dégager
Claque : Couvre-chaussure
Coquerelle : Cafard, blatte
Couple(une) : Paire(une)
Croche : De travers
Crème glacée : Glace
Cute : Gentil
Cuve : Evier

D
Débâcle : Fonte des neiges
Débarbouillette : Petite serviette (servant de gant de toilette)
Dressed (All) : Assaisonné (complètement...)
Déjeuner : Petit déjeuner
Dépanneur : Epicier de quartier
Dîner : Déjeuner

E
Ecœurant : Excellent
Enfirouaper (se faire) : Leurrer (se faire)
Engagé (être) : Occupé (pour une ligne téléphonique)
Epais : Crétin, lourd, grossier

F
Feu (passer au) : Brûler
Fève : Haricot
Fournaise : Chaudière
Fin : Gentil
Flyé (être) : Allumé (être... !)
Frette : Froid
Fune (avoir du) : Plaisir (avoir du)
Fuse : Fusible

G
Garocher : Lancer
Gaz : Essence
Gelé (être) : Drogué
Gîte du passant : Hébergement chez l'habitant
Granola : Ecologiste

H
Habitant : Plouc

J
Jack : Individu
Jaser : Bavarder
Job : Travail

L
Liqueur : Boisson gazeuse
Lumière : Feux de circulation

M
Maganer : Abîmer
Magasiner : Faire les courses
Maller : Poster
Maringouin : Moustique
Minoucher : Caresser
Minoune : Vieille voiture

Misère (avoir de la) : Peiner
Mitaine : Moufle

N
Niaiser : Faire l'imbécile

P
Pacté (être) : Ivre
Pamphlet : Prospectus
Peser : Presser
Pitoune : Bille de bois
Placoter : Parler
Plate : Ennuyeux
Pluger : Brancher
Poêle (un) : Cuisinière
Pogner : Séduire
Poudrerie : Neige fine
Prélart : Linoléum

Q
Québec (se faire passer un) : Se faire duper
Quétaine : Ringard

R
Rang : Alignement de propriétés agricoles qui s'étendent en longueur et perpendiculairement à une route ou un cours d'eau.
Ratoureux (avoir l'esprit) : Tordu (avoir l'esprit)
Robineux : Clochard
Roche : Cailloux
Rôtie : Toast
Ruine-babine : Harmonica

S

Serrer : Ranger

Sloche : Gadoue

Smart : Gentil

Souper : Dîner

Sparage : Geste

T

Tabagie : Débit de tabac

Table tournante : Platine de disque

Tannant : Taquin, fatiguant

Truck (un) : Camion

Tune : Chanson

Tuque (une) : Bonnet

U

Ustensiles (les) : Couverts de table

V

Vidanges (les) : Ordures (les)

W

Waiter (le) : Garçon de café

Watcher : Surveiller

Index

CRÉDITS PHOTOS

Cahier couleur
Les photos du cahier couleur nous ont été aimablement prêtées par le **ministère du Tourisme du Québec**. P. 4 (photo du milieu) - Barbagallo, p. 7 (bas, gauche) - photo Barbagallo.

Noir et blanc
Explorer : p. 19 (A. Bordes), p. 27 (Y. Lanceau), pp. 29, 93 (J. Bras), pp. 31, 43, 47, 57, 103 (K. Straiton), p. 45 (G. Zimbel), pp. 75, 107 (Y. Beaulieu), p. 78 (P. Quittemelle), pp. 80, 81 (P. G. Adam), p. 83 (C. Cros), p. 85 (F. Jourdan), p. 100 (P. Edouard), pp. 101, 105 (P. Plisson).

Photos couleurs
Nous remercions tout particulièrement le **ministère du Tourisme du Québec** de nous avoir prêté les photos des pages : p. 23 (Sepaq), pp. 24, 40, 41, 48, 49, 51, 61, 62, 63, 65, 70, 72, 75 et 84 (Barbagallo), 77, 90, 95, 102, 119, 123.